文学理論入門

論理と国語と文学と

疋田雅昭

ひつじ書房

まえがき

二〇二二年度から実施される新学習指導要領に基づいて、高等学校での国語が大きく再編される。変更点は多岐にわたるが、簡単に説明すれば、一年生の国語が「現代の国語」と「言語文化」に分かれる。これは、これまでの現代文・古文（漢文）に対応するものであるが、現代文の内実として、近現代の小説や詩歌（要するに近現代文学）は原則排除されている。分かりやすい例としては、これまで高校一年生の定番教材として扱われてきた「羅生門」が、「現代の国語」には収録されていないということだ。

一方で、古文と漢文が融合した「言語文化」では、「我が国の伝統と文化や古典に関連する近代以降の文章を取り上げること」とあるように、近現代文学が入る余地があるように述べられているが、従来の定番教材を意識すれば、これが「羅生門」に相当することは明らかだ。

そもそも、この国際化の時代に「国語」という科目の名称自体もどうかとは思うが、「羅生門」が「言語文化」に移動させられたことを考えれば、「現代の国語」の中に含まれる「国語」には、いわゆる文学を含めないという隠れた（明確な？）メッセージがあることが分かる。それは、「文学」は「言語」の「文化」であるからであり、「国語」には「文化」に類するものは含めないという意味でもある。

では、「国語」とは何かと考えると、二年次以降の選択科目の名称が気になる。

二年次からは、「論理国語」「文学国語」「国語表現」「古典探究」という四つの科目が設定されているが、多くの学校では実質的にこれらの四科目をすべて履修できるような余裕のある単位設定を有していない。もちろん、それを知った上で、「国語表現」などという科目を廃止せずに設置しているわけだから、それは実質的に「国語」から「文学」を学ぶ機会を追放しようとする確固たる意図を感じざるを得ない。

「文学国語」という専門の科目を設定したのだから、あとは現場の裁量次第というやり方は、私などの文学家からすれば、かなり姑息な手段であると感じるのだが、逆に考えれば、これまでの文学中心的な教材の在り方を文科省が問題視しているのだとも考えられ、それはそれで検討する必要があるとは思う。もちろん、それは文学不要論に与するということではなく、文学教育の必要性を真面目に考えてこなかったのではないか、という問題として検討すべきであると言っているのである。いずれにせよ、文学国語と論理国語の分離とは、「国語」という名称を共通させておきながらも、「国語」という科目の実質からの「文学」排除の方針であると考えられる。

この「方針」を補完しているのが、入試(新共通テスト)における実用文への志向だろう。「国語表現」という科目の内実が、「実用文」という情報整理・受容のトレーニングなのだとすれば、今後の入試に対応するためには、ただでさえ少ない単位を「国語表現」に割かなくてはいけない事態も想定される。もし今後、共通テストの問題から小説が外されてゆくことになれば、すべてのしわよせは、文学国語の切り捨てという方向に向かうことになるだろう。

このような動向に対して、「言語文化」や「古典探究」は、「国」の「文化」であることによって、「国語」という科目の中で延命させられているとも言える。だからこそ、古典は「文学」中心であっても、それ自体が批判の対象とはならないわけだ。しかし、「近代以降の文章」に関しては、「文化」であることは、「国語」の本流ではない。新しい「国語」にとって、「近代以降の文章」の本流は、「現代の社会生活に必要とされる論理的な文章及び実用的な文章」である。これが、二年次以降の「論理国語」に対応していることは明らかで、「論理国語」と接続しないものは、「文化」とみなされ、それは「現代」の「国語」からも排除されてゆくという意味だ。

こうした文科省の新しい「指針」に対して、賛同するにせよ反対するにせよ、我々は、強制的に分離させられた「文学国語」「論理国語」の内実を考えてみる必要がある。それぞれの科目で想定されている文章を、文学的文章／論理的文章としてみた時、私には、いくつかの「反論」が思い浮かぶ。

「随筆」などを想定してみた時、両者には中間的な様態が沢山あり、そもそも二つに分けることは無理であるという反論。しかし、もし、私が文科省側であれば、では「随筆」を「国語」で教える意義は何であるのか？「随筆」の教材は何の役に立つのか？ あるいは、「随筆」も「言語文化」で宜しいのでは？といった再反論も思い浮かべてしまう。

また、面白いとか、興味・関心を惹きやすいから「文学」を教えることには意味（意義）があるという反論。これに対して、私自身はシンパシーを感じながらも、一方で、たとえ役に立たなくとも「教えたいから教える」と言っているに等しいようにも思える。

ここで、かつて、微積や数列の学びを縮小すべきかどうかという議論の中で、多くの文系の人間は、「役に立たない」という基準で、冷たく切り捨てようとしたことを思い出してみてもいい。実際、私の所属する教育学部の国語教室で、同じようなアンケートを取れば、「文学を教えた方がいい」という意見が大部分を占めるものの、その理由は、先述の通りである。

少なくとも、これから数年間は、「文学国語」と「論理国語」の分離は決定事項である。それが、どんな影響を与えるのかも未知数である。だが、いずれにせよ、将来の「国語」を見据えながら、我々は、「文学的文章」を教えることの意味（意義）をもう一度考えてみるべきではないのか。同時に「論理的文章」あるいは「論理」とは何か、ということに関しても同様である。さらに言えば、これは「国語」とは何を教え学ぶ科目なのか。「文学」とは何なのか。といった原理論的な問にも通じる。

この小著は、大学における授業のテキストとして、文学の解釈に使用される理論（批評理論・文学理論）の解説を通じ、それを自らの演習や論文の実践および、文学教育の実践に益することを目的にしたものである。

第一章では、先に述べたような「文学」や「国語」に関する原理論的な考察を行った。なるべく多様な立場に対応できるように述べてみたつもりだが、それでもある程度私の主張が反映されている部分もある。どうか、批判的に検討していただければと思う。

第二章では、文学解釈に対する基本的な理論としてニュークリティック、構造解析、ナラトロジー、読者論の四つを解説してみた。いわゆる文学（批評）理論と呼ばれているものは、作家論とか印象批評と呼ばれる営為と対置される。真に客観的な手法など、解釈にあり得るのだろうかという疑問を払拭できるほどの精緻さが、これらの理論にあるとは思えないが、それでも、ある種の学問的客観性を担保するための重要な手続きであることは間違いない。

それぞれの理論は、現代の文学研究に応用しやすいように、筆者（疋田）による独自解釈（アレンジ）を含んでいる。詳しく知りたい場合は、節ごとにブックガイドを付したので、原典と比較して学んでもらえればと思う。

第三章は、いわゆるテクスト論と呼ばれる手法の「紹介」である。ここで「紹介」と言っているのは、自重した表現を用いているのではない。「テクスト」という概念の帰結は、外在的（二章のような文学専用の理論ではないという意）な理論でテクストを読み替える場合と、同時代的な読み方を復元する形で新たな読み方を提示する場合があるが、前者の場合は、適応する理論そのものを体系的に学ぶ必要があり、適応可能な理論も多岐にわたるので、理論そのものの紹介は、概略的なものとしてしか説明できなかった。解釈に適応するテクスト理論を詳しく解説することに関しては、別稿にしたいと思っている。このテキストを「理論入門」とした所以である。

後者について、調査の仕方そのものについては、項目別にできるだけ詳しく解説したが、具体的な適応に関しては、拙書『トランス・モダン・リテラチャー』(ひつじ書房)を参照してもらうように、該当箇所を明示してある。

また、演習などを通じたトレーニングに益するように、巻末に「チェックシート」を付した。課題のテクストを事前に読む際に、どんな箇所に注意すればよいか。確認できるようにしてあるので、効率的な予習に活かしてくれればと思う。

目次

第三章　理論から実践へ

第一章

「文学理論」と「国語」の接点をめぐって

いくつか議論の前提としての（語句）定義

国語教育学（国語教育をめぐる学的体系）――**文学**（文学をめぐる学的体系）

文学教育学はその下位区分　　通常、教育学を含まない

文学的文章（小説（小・中）→文学（中・高））――**論理的文章**（説明文（小・中）→評論（中・高））

詩歌（詩・短歌・俳句など）を含む　　一般的実用文を含む

随筆を含む　　特殊な（難解な）実用文を含む

※中間項としての「随筆」

文学（詩歌・文学小説・文学的随筆）――**物語**（テレビ・映画・ドラマ・マンガ）

詩歌を含む　　詩的表現（歌詞・コピー・噂など）を含む

人工的（学校習得的）　　自然習得的

※中間項としての「劇」

1 国語教育学と文学

「**文学**」という言葉はややこしい。仮にこれを学問の名前であると考えてみよう。通常、学問の名前は、○○学という言い方をして、○○に相当する部分がその学問の研究対象となる。(例：経済学→経済、心理学→心理)

ところが「**文学**」から「学」を外してみたところで、「文」一般を研究する学問は言語学であって、「**文学**」は数ある文の中でもかなり特殊な文を扱う学問である。問題は、その扱う研究対象も「**文学**」であることだ。

また、「文学研究」には「**文学**」を読むことによる二次創作的な行為という側面があるが、同じように二次創作的な行為でありながら「批評・評論」と呼ばれる活動は「**文学**研究」とは異なる活動であると考えられている。(通常、研究者は自分のことを「批評家」とは名乗らないし、批評家は「研究者」とは言わない。)

結果、「**文学**」を動詞化した「**文学**する」という言葉に含まれる意味は多様だ。「創作」「批評」「研究」すること、さらに、そこにはただ「読む」ことさえも含まれる。「**文学**」を議論する上でこの多様性を踏まえているか／いないかは、非常に重要な前提条件となる。たとえば、「**文学**不要論」とは、売れもしない「**文学**」という商品などは不要ということなのか、**文学**的思考(想像力)みたいなものが不要だというのか。さらには、**文学**研究のような学問的営為が不要であるのか……。この前提を確認しておかないと議論は平行線のままだ。

国語教育学と**文学**との歴史的関係はもっと複雑だ。日本の学校制度では、小学校の教員免許は教育学部に行かないと取得出来ないが、中・高等学校のそれは、文学部でも取得可能だ。小学校の教務内容は、一般的な大学生にとって理解出来ないことは少ないので、問題は何（コンテンツ）を教えるかよりも、教え方（メソッド）の問題になる傾向がある。教え方そのものを研究するのを教科教育学と言い、国語教育学はその下位区分（教科のうちの一つ）になる。教育学は教育そのものを研究対象とし、教育の方法以外に、教えるとは何か？　教える価値とは何か？　学ぶとは何か？　といった哲学的問題を射程とするので、原理（哲学）と実践（教育法）の両面を含み込むことになる。また、方法論という言い方は、実践法以外を排除する印象があるが、実際の国語科教育学は、何を教えるのか（コンテンツ研究）、どう教えるのか（メソッド研究）の両面を含んでいる。

教科教育学は、元教員がその経験から教えてゆくことも可能だが、教育原論（教育哲学）は、哲学的訓練を受けた者が、その中で教育哲学を専門としている（その意味で教え方の下手な教科教育学の授業は自己矛盾的な観があるが、つまらない教育哲学（教育原論）の授業はあり得る）。また、教育の問題をその歴史的経緯から考えてゆこうとするアプローチも存在し、教育史と呼ばれ、歴史学の下位区分としても存在している。

今、問題にしているのは学の分類ではなく文学との関係なので、話を戻そう。たとえば、文学研究の中で価値あるテクストとして立ち上がってきたものは、必ずしも教育学の中での価値とは一致しない。文学は、総合的解釈学なので、そこから読み取るべきものは多様であり、時には現在の倫理的規範とはそぐわないものすら含んでいる。しかし、教材としてテキストを選定する場合、ある差別が明確に記述されているものを選びとることは難しい。また、教えやすいという定番テキストが、必ずしも今現在まで文学的価値を有しているとも言い難い。つまり、大学教育であるならば、価値の多様性はある程度認められはするが、高校生以下の公教育の現場で、多様性が同じ価値として認められることはないということだ。

現在、総合解釈学的な方向に舵を切りつつある文学（文学研究）は、分析対象とする「文学」の定義を狭義のそれ（純文学）から、「文学性」というキーワードによって、幅広いジャンル（映画・マンガ・アニメ・ドラマなど）に拡充しているが、言葉の教育として長い歴史をもつ国語の教科教育学では、言葉による芸術という定義から離れれば離れるほど、それは国語の中で扱うべきことなのかという議論（メディアリテラシーは国語という科目の中で扱う対象なのか？）を呼び込むことにもなる。

国語教育学と文学の間にある諸問題を話し合ってみよう。
国語の中にある文学（教材）と文学的価値の違いについて考えてみよう。

2 「論理」的であるという陥穽

また、現在の国語（現代文）では、**文学（物語）**／**評論（説明文）**といった**コンテンツ**の二大区分があるが、日本近代の社会批評・評論には、文化や文芸評論家によるものが多かったという歴史的経緯もあって、一般的に論理性重視とみなされるジャンルの文章においても、様々な文学的レトリックが使われることが多い。結果、評論のようなジャンルの文章でも、その読解に文学的な訓練を受けている（あるいはそういったセンスを持っている）ことが必要となり、司書の免許や学芸員を除き他に有用な資格に乏しい文学部は「実用的な知識が得られない」という印象は、今でも一般的である。

何かを説明（説得）しようとする時、特定の道理に基づいて法則的に繋がっている道筋のことを「論理」という。それらを繋げている法則性や原理的体系そのものを「理論」と呼ぶので、「理論」は「論理」に裏打ちされていることになる。だが、「論理」が抽出できない「理論」はあり得ないし、個々の「論理」に再検討の余地があったとしても、その道筋に一定の法則性を見出し得るのならば、それはある種の「理論」であることは間違いない（だから、「おかしな「理論」」に意義があることがある）。

「理屈っぽい」という言葉が「理論」の一貫性を前提としつつも、その「論理」への信頼性の低さを感じさせるように、「論理的」「理論的」であることは「論理」の内包を必須条件にしているが、その実「論理」の正しさとは普遍的なものとは言えないのだ。

言葉より数字、心的現象より物理的現象、文学より科学……。理系の人間は言うまでもなく文系の人間でさえ、理系的な思考の方がより「論理的」「理論的」であると考える。だが、言葉には、心には、あるいは文学には何の理論も存在しないのか。また、理系が使用する理論は、永久不変に正しい理論であると言えるのだろうか。だとすれば、理系の中で論理そのものの更新が起こるのはなぜか。そもそも普遍（不変）的な理論（論理）などあり得るのか。

三角形の内角の和が一八〇度であるという論理は、確かに多くの幾何学の理論を支えている。しかし、地球上で南極、北極、東京を結ぶ直線を一辺に含む三角形の内角の和は厳密には一八〇度にならない。なぜか？　地球が球体だからだ。そもそも球体上の内角の和は一八〇度にはならないのだ。一見、普遍性があるような論理ですら、一定の条件（図形が平面上にある）のもとでしか成り立たない（普遍的＝不変的ではない）。

もちろん、この例は、逆に理系の論理的思考の精度の高さを証明することにもなるので、究極的な理論はなくとも、決まったルールのもとで高い精度で運営するのが理系である（なるべく高い精度で考える方がよい）という言い分の反駁にはならない。だが、ここで問題にしているのは、定理や定石（理論）を根源的に支えているあらゆる公理（論理）にも普遍性など存在しないということだ。

ここであらためて「国語は言葉の論理を学ぶ科目である」という昨今よく標榜されるスローガン（？・）を検討してみる。結果的に文学教育の縮小・排除の根拠となるこの考え方は、評論（説明文）で使われるような「論理」だけを論理とみなすという狭義の定義に基づいている（よって独自の理論体系も存在する）。しかし、文学（物語）にも「論理」がないわけではなく、むしろ文学（物語）には文学的な論理がある。こういう言い方をすると、それは論理ではないという反論も聞こえてきそうだが、ならば人は論理的整合性がとれてさえいれば、必ずその言葉を信用し従うのか、と心の裡に問うてみるがいい。どんなに論理的に説得されても信じない（心を動かさない）人が、非論理的な物語に心を動かすことは、実はよくあることなのではないか。

物語の中に見られる「納得のいく展開」とは本当に論理的なのだろうか。
物語の説得力の背後にある理論とは、どんなものだろうか。

3 インプット（リーディング）偏重の「国語」教育

現状の「国語」教育（以下、国語教育と呼ぶ）では、四技能（読む・書く・聞く・話す）を等しく学ぶ

	文字	音声
インプット	読む	聞く
アウトプット	書く	話す

ことになってはいるものの、実際には、読むことに多くの時間が割かれている現状がある。もちろん、これは、科目の内実が、テスト（定期テスト・入試テスト）によって規定されてしまうことと無関係ではない。そのこと自体を議論する必要があることは確かであるが、ここでは「読む」／「**書く**」の両者の間、あるいは「聞く・話す」／「**読む・書く**」の両者の間にある非対称性の問題を考えたい。前者の「読む」重視はインプット偏重、後者の「読む・書く」重視は文字偏重の教育として捉えることが出来る。

論理的になるためには相手の話をきちんと聞く力に加え、書かれたものを正確に読む能力が必要だと人は考える。また、論理的に考えるためには、すぐに消えてしまう言葉よりも、**書かれた**文字を前にした方が、落ち着いて考えることが出来る。結果、長い間、国語の時間では、オーラルコミュニケーションよりも、文字コミュニケーションの実践の方が重視されてきたし、読むことは、**話すこと**の重要な基礎として位置づけられてきた。だが、そもそも、発信する（**アウトプット**）側と受信する（インプット）側がともに論理に従おう（**論理**的になろう）とするのはなぜか。おそらく、それがコミュニケーションを成立させる唯一の方法であると考えているからだろう。つまり、どちらかが論理から外れた言動をする場合、コミュニケーションはうまく成立しないのだと……。

しかし、コミュニケーションの「成功」や「成立」を、発信者側の意図の伝達の成功に見出すのならば、その説得力とは果たして「**論理**」が生み出したものだろうか。先にも触れたように、実際に多くの人々に伝わった（説得力があった）言葉には、**論理**の裏打ちがないものも多い。殺人をしてはならない理由、自己を犠牲にしても何かを救うことの尊さ……、こういったことをいくら**論理**的に説得しようとしても、多くの人々は納得せず、多くの悲劇が繰り返されてきたのに、**非論理的**だと言われてきた物語が、これらのテーマを内包し、限定的であったにせよ、多くの人々を「説得」し得たのはなぜか。

また、国語の授業で取り上げられることの増えたディベートなどで、実際に「説得」力をもつ意見なども、後から検証してみれば、思いの外、**非論理的**であったりする。建前としては、ルールに則って**理性的（論理的）**に話し合うことになってはいるものの、そこで駆使される技術（たとえば、抑揚、比喩、展開）などの効果は、その時の一回性の雰囲気に依存したものであり、**論理的**（再現可能性が高い）というわけではない。

文学研究のルーツの一つに西洋古代の『詩学』があるが、『詩学』とは詩の読み方を研究するのではなく、詩的な表現を生み出すための実用的な「学問」であり、それは他者を「説得」するための弁論術であったのだ。こうした、普通の言い方では通用しない表現をいかなる手段で説得力のある詩的表現にまで高めるのかという観点からは、やはり二つの観点を指摘しておかねばならない。**そもそも文学とはインプット（リーディング）偏重の学問ではなかったのだ**、ということ。さらに、**文学とは非実用的な虚学とは違った面を有していたのだ**ということだ。

もちろん、これは文学教育を、文学を読むことから文学を創作することに取り戻すべきだ、などと主張しているのではない。文学教育においては、あまりにもアウトプット、伝達、説得といった面が疎かになってきたのではないかと言っているのである。

文学教育の効果が最も先鋭的かつ魅力的に現れるのは、ある作品を共有して読み合うという演習の形式においてである。解釈学は、議論する対象を共有しやすいので、共同トレーニングがしやすいという面がある。たとえば、社会学や経済学ならば、興味関心は人それぞれであろうから、同じ素材を使って学問的リテラシーを訓練することが難しいが、解釈学の場合、解釈に必要な基礎力は、どんな素材を使っても学ぶことが出来るし、たとえその対象に対して門外漢であっても、提示されたテクスト解釈に言及し発表者と議論を交わすことも出来る。

また、解釈には究極的な「正しい」「間違い」は存在しないので、そこで争われるのは、真理よりは、自分の読み方が周囲を説得しきれるかである。説得の技術は、素材や相手（議論の相手ではなく、演習等に参加している人たちのこと）によって変わるので、常に説得出来る方法などは存在しない。大切なのは、どんな人たちに、どんな読み方を、どんな方法で説明するかという「選択」と「戦略」なのである。

アウトプットの際の説得力という点から文学的な面はどのように作用しているのか。伝わらないことを内容ではなく形式（技術）の面から考えるにはどうするべきなのか。

4　文学と国語教育の蜜月を引き裂いたテクスト論

文学研究では、テクスト論という考え方がある。国語の中で文学作品をテキストとして考えることと、文学研究でテクストとみなすことには大きな差がある。

通常我々は、「作品」というものを、それを生み出した「作者」の制作「意図」に還元して考える。その根拠は、何もない「無」から「作者」が「作品」を「有」たらしめたわけだから、「作者」こそが「有」を生み出す「無」＝ゼロ地点であると考えることにある。だが、分析対象を「テクスト」としてみなすということは、作者という「起源」から何かが発生するという感覚の否定、反起源論的な発想に基づく態度なのだ。

「テクスト」という言葉の背景には、「織物」から連想される比喩がある。「織物」は、無数の縦糸と横糸を編み合わせたものであり、縦線と横線の重なり合いで表現されるデザインを「テクスチャー」と呼ぶのも同じ語源である。「作者」や「作品」と呼ばれているものは、織物の中の縦糸と横糸の交差する場所の一つのようなもので、そこでは沢山の同時代的影響（横糸）と、沢山の歴史的影響（縦糸）が交差している。「作者」が意図して作品に流し込むことが出来るものなど自身に流れ込んでいるものの中のほんのわずかであり、「作品」を構成しているほとんどの要素は、制作者の意識出来ないもので構成されているというのが、「テクスト」という概念の肝要である。

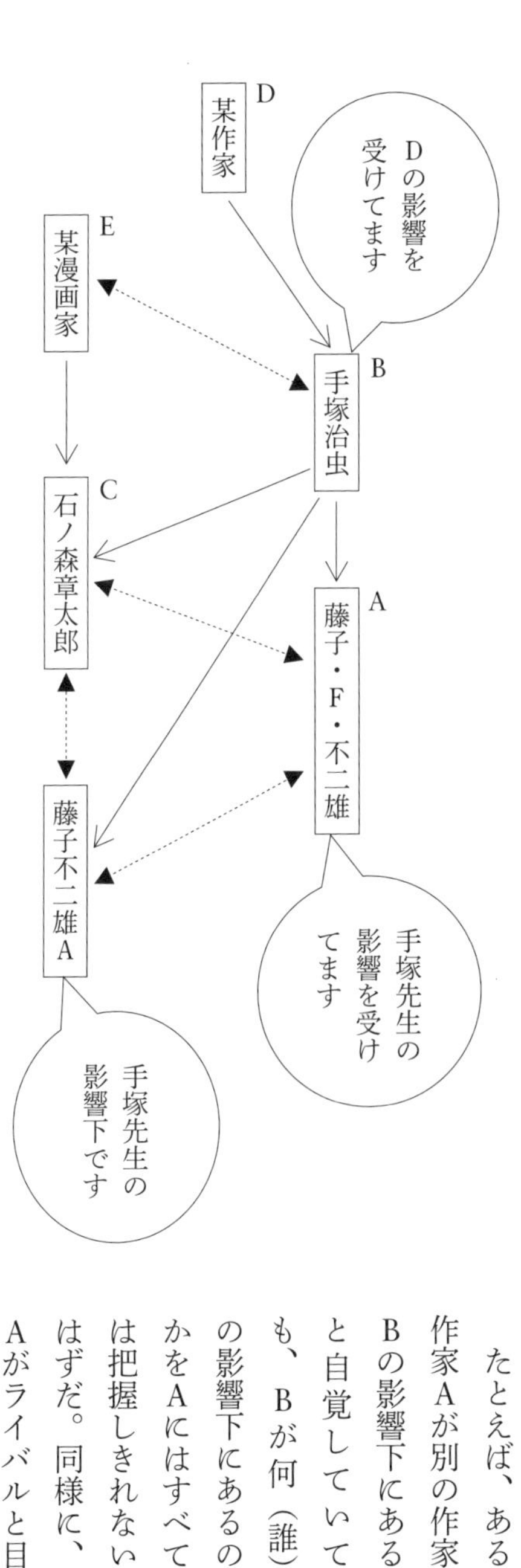

たとえば、ある作家Aが別の作家Bの影響下にあると自覚していても、Bが何（誰）の影響下にあるのかをAにはすべては把握しきれないはずだ。同様に、Aがライバルと目

している作家Cがどんな同時代的影響を受け、どんな歴史的影響を受けているのか。それをAがすべて把握出来るわけがない。

　ならば、影響を与えたB自身が強く影響を受けたDの影響は、作家Aの作品には存在しないのか。あるいは、ライバル作家Cに流れ込んだEの影響は作家Aには皆無なのか。手塚治虫を直接読んだ記憶・経験がない漫画家は、現在であれば、たくさんいるかもしれないが、それでも、手塚が確立した漫画の表現法のもとで漫画を書いている以上、その影響下にない漫画家など存在するのだろうか。

　つまり、「**テクスト**」という概念は、そこに流れ込んでいる無数の同時代的影響と歴史的影響をあえて限定しないという立場をとるのだ。作者の意図の支配下にある事項などほんのわずかに過ぎず、**テクスト**という「編み物」には水平的（同時代的）、垂直的（歴史的）な糸（線）が沢山流れ込んで成立している。それも、それぞれの線の起源などは存在せず、すべては平行あるいは垂直にどこまでも続く線（線分ではない）と考えられる。**テクスト**とは、作者という「起源」のみならず、すべての「起源」を否定する考え方だ。「起源」など存在しないと言っているのではなく、「起源」はどう考えてもある種の「捏造」となるので、「起源」など考えなくてもすむような思考をしようとしているのである。

　一方で、「**テキスト**」とは、教科書・教材という意味である。対象を教科書（教える道具）とみなす以上、教えたくない内容（ノイズ）が出来るだけ排除されたものである方が望ましい。たとえば、学校現場で使う**テキスト**では「友情」は教えたいが「差別」「性愛」「暴力」は避けたいということだ。原理的には、都合の悪いものが一切流れ込んでいない**テキスト**を見つけることは困難であっても、出来るだけノイズの少ない**テキスト**を見つけ出したいという教育現場サイドの考え方を否定することは難しい。

　混乱を避けるために、**教材**（テキスト）と**文学**（テクスト）という表現を使うと、通常、教育では、一定以上のノイズの量をもって、**教材**（テキスト）としては不適格であるという判断を下し、「教えたい内容＞ノイズ」であれば、敢えて採用という効率的な考え方をしない。言うまでもなく、**文学**（テクスト）の善悪は、読み手次第ということになるが、都合の悪い読み方が教室の中で安易に学生に想定されてしまう**文学**（テクスト）は**教材**（テキスト）としては悪ということになるのだ。

坪内逍遥の「小説神髄」（一八八六）は、**文学**（小説）を戯作と峻別することによって、**文学**を「芸術」であると定義した。**文学**には必要ないものとして、戯作の大衆性や娯楽性、人気といった要素の排除が主張された。以後、純文学と大衆文学は袂を分かつわけだが、大衆の人気というバロメーターは、思いの外その社会の倫理や常識と素朴に呼応しているところがある。良いことにせよ、悪いことにせよ、多くの人々に共有されている価値観を内包している物語が支持されやすいわけだ。

しかし、教育現場において、理想的だとされている価値は、必ずしも社会で既に確立しているそれではないことも多い。ある意味、理想と現実は、常にズレ続けている。場合によっては、「暴力」「競争」「性」など社会的にある程度肯定されている欲望ですら徹底的に抑制・排除すべきだといった、現状の社会通念から見るとやや行き過ぎた価値を推奨する場合だって少なくない。文学と教育の利害が一致する瞬間は、この社会に対する価値が偶然共有された時だけである。

また、**文学**自体も、社会的な価値そのものに揺さぶりをかけることを目的としているものが少なくない。「家族」の尊さを説く道徳教育と、そもそも「家族」とは何だろうかということに疑問をもつ**文学**は、折り合いが悪い。偏在する「性」や「暴力」を前提としてつくられている物語も「性」や「暴力」を排除しようとする教育現場から忌避されるが、一方でこうした要素をすべて抜いてしまった物語が、どこか無味乾燥なものに思われるという面も、一概には否定できない。

教材の選定者がある意図をもって**文学**を選んだのだとしても、その**教材**（テキスト）の解釈は必ずしも選定者の意図通りにはならないことがある。いや、むしろ意図通りにしか読まれない現場など滅多にないはずだ。かといって**文学**（テクスト）は無限の解釈を生み出すのだから、そのすべてを予期してコントロールする授業など出来るわけがない。その意味で、現場の文学**教材**（テキスト）は常に**文学**（テクスト）になる可能性に晒されているのだ。

> **教材である限り引き出してはならない読みとはどんなものが考えられるか。文学的価値と教材的価値のコンフリクトの具体例を考えてみよう。**

5 「伝わる」という考え方の陥穽

文学研究者、特に近代文学研究者がなぜこれほどに、文学を**テクスト**として捉えたがるのか。それには理由がある。**古典文学**の場合、作者が直接書いたものが現存している可能性が極めて低い。むしろ、写本（手書きで写したもの）しか現存しておらず、さらにそれらのバリアント（バリエーション）同士が異なっており、文字だけではなく、内容や展開までもが違っていることだって少なくない。作者だって、将来残るバリアントなんて予想だにし得ない。そういった事情で、**古典文学**の研究の前提として「本文」そのものを確定する作業が必要となる（校異研究）。しかし、**近代文学**の場合、印刷メディアとして同じ形で大量生産される上、作者自身の原稿が残っている場合も少なくない。日記や未発表の断片的な記述、原稿に残る校正過程などの分析からは、作家の意思のようなものが立ち上がってくるのだ。

近代教育システムは、こうした活字制度以後のものであるので、言葉（文字）とは、発話者（作者）が伝えたいこと（意図）を伝達する道具であるという考え方（言語道具観）が成り立ちやすい。伝わるように書きましょう。正確に読みましょう。とは、正しく書かれた（発話された）言葉（文字）は、正しく読まれさえすれば、正確に意図を伝えるに違いない、という確信が前提となっている。

だが、言葉（発話）より前に意図が存在しており、それが発信者と受容者の間の正確な（論理的な）やりとりによって伝わるというのは本当なのだろうか。

ある二人の若い女性が、偶然通りがかった男性を見て、

「今の人ヤバくない？」

と発話したとする。それに対して、

「それな。本当にヤバかったよね〜」

と返す。この時、一見両者の会話は、成立しているように見えるし、当の二人もそう考えているだろう。しかし、発話した方は、相手の男性をとても素敵な人だと捉えたにも拘らず、それを受け取った側は、タイプではないと判断したとする。若者の「ヤバい」は古典で言う「いみじ」と同様で程度の甚だしさを示すわけだから、それがプラス・マイナスどちらに向かって「甚だしい」のかは文脈に依存する。そう、両者は、正反対の意味を同じ言葉に込めていたのだ。

この会話のポイントは、当事者の二人も、それを見つめる観察者も、コミュニケーションの成功を信じて疑わない点にある。本来、コミュニケーションの「成功」とは、事前にあった（と信じられている）伝達内容が相手に伝わったかどうかで決まるはずなのに、人は、コミュニケーションの「結果」がもたらした状況を「成功」の判断基準にしているのではないだろうか。

「馬鹿ね」という言葉が、「非難」なのか「からかい」なのかの最終判断は、受け手に委ねられているの

で、発信者は、想定していた「意図」が異なった形で伝達されたとしても、納得出来るような「結果」にさえなれば、コミュニケーションは上手くいったことになってしまう。つまり、コミュニケーションとは、事前に想定されていた「意図」なのではなく、伝達された「結果」なのだ（コミュニケーション論的転回）。

「馬鹿ね」の伝達の方向性（プラス・マイナス）を、ある程度、言葉の文脈（コンテクスト）でコントロールすることは可能だろう。だが、そうであったとしても、そこで相手に伝わる「意図」とは、発信者のプラスかマイナスかの事前想定だけである。プラスとして伝わったとしても、プラスの結果を引き起こすとは限らないし、マイナスの場合もまたしかりである。つまり、「意図」で「結果」を完璧にコントロールすることは、無理なことなのだ。

我々は、「意図」の「伝達」のためにコミュニケーションしているのではなく、コミュニケーションの積み重ねにより、「意図」と「結果」を近づける技術の精度を上げているのであり、「伝達」の正確さなどは、その積み重ねから得られた成果の一部に過ぎないのである。

特に国語教育では**評論**や**説明文**における技術のことを一般的に「論理」と呼ぶことが多いが、それが「意図」（＝論者が伝えようとすること）と「結果」（＝読者が受け取った内容）を一致させるための技術なのだとしたら、**文学**（物語文や詩的表現）などにおけるコミュニケーションだって、目指すところは同じである。ただ、**評論**等では、言葉の自由な運動を出来るだけ押さえ込み、ブレのない伝達を実現することによって、「意図」と「結果」を重ねようとするのに対して、**文学**では、言葉のもっている自由な運動を出来るだけ解放することによって同じ目的を果たそうとするので、「意図」と「結果」が乖離してしまう可能性も極めて高くなる。

にも拘らず、**文学**があえて言葉を押さえ込まないのは、伝達し得た時の効果が大きいからに他ならない。評論（説明）文では、伝達の成功率は高くとも、伝達時の**効果**は、**文学**に及ばない。単に「意図」が伝わることと、「意図」した「**効果**」が得られること（＝相手が納得してくれること）は、同じことではないのである。

戦争がなぜ悲惨なのかを論理的に説明した評論よりも、戦争の悲惨さを見事に描いた文学の方が、「悲惨」から生み出せる「**効果**」が大きいはずだ。「意図」を同じくする中で、「意図」を伝達出来る可能性が高い論理的に説かれた**評論**よりも、誤読される可能性に満ちた**文学**がかろうじて生み出す「結果」の方が、多くの人々に影響を与えることは偶然ではないのである。

> 単に意味が伝わることと意味が効果的に伝わることとの違いを考えてみよう。
> 「コミュニケーション論的転回」について色々調べて、考えてみよう。

6　型と自由

テクストとして対象に向き合う態度は、国語教育においては、必ずしも承認され得ないことを前に述べた。そこで、まず確認したいのは、教育の世界では――おそらく多くの教師・生徒・学生にも――「**多様性**」という意味が誤解されていることが多いことだ。解釈が限定されることが多い**評論（説明文）**との対比のためか、**文学**には様々な読み方が許容されているという考え方が尊重される。もちろん、それ自体は間違いではないが、多様な読み方が許容されることと、どんな読み方でも許されることは全く異なる。さらに、複数の読み方が乱立する教室の中で、どの読み方が支持、承認されるかは、読み方の客観的論理性によって決定するわけではない。

大学の演習などでも、自分の読み方が伝わらなかった時、その読み方自体を反省する学生が多いが、実際には読み方よりも、その説明の仕方（手順）に問題があることが少なくない。極端に言えば、周囲からの読み方の支持とは、自らの読み方をどう説明（技術や演出等を含む）したかによって決まるのだ。

さらに、あるテクストの読み方で、女性の解放を読み取った場合と、民族の解放を読み取った場合と二種類の読み方が、ぶつかり合う形で提示されたとしよう。具体的には、次期大統領を初の女性にするか、初の黒人にするかといった場合などが近いと思われるが、こういったケースでは、どちらの主張が正しいかということは、論理（倫理）的には決定出来ない。結果は、いかに魅力的な演説（発表もしくは説明）をしたかによって決定されるのだ。

この時の説明の魅力とは、よく言われているような論理的整合性にのみ支えられているわけではない。どんなに論理的に正しくとも、つまらない説明に人は惹かれないのだ。

このことは、先に述べた**国語教育におけるインプット教育偏重の問題**とともに考えられねばならないだろうが、ここでは話を「**多様性**」の問題に戻す。**多様性**の称揚は、物語を通じて国語という科目を好きになってもらおうとする意図と相まって、低学年ほど尊重される傾向がある。つまり、発言しにくい雰囲気をつくらないように、自由な読み方が可能な教材を使って、どんな読み方にせよ発言を尊重してゆこうとする態度が望ましいとされるのだ。

だが、**教育テキスト**には理想的な読みと同時に教室空間からは排斥したい読みが存在する。教室外の社会において何が規範的な読みとされるかは、議論の対象として常に開かれている必要があるとは思うが、一般社会では、その時代の倫理や論理の枠組みによって規定されている。文学のテクストの場合、既存の倫理や論理の枠組み自体を疑う態度を内包していることは、前に述べた通りだが、実はこのことは、どんな普遍的に見える規範でも、アプリオリに習得されているのではなく、まずはそれを学ぶ必要があることをよく示している。

人のものを盗んではいけないといった簡単な倫理観であっても、「人のもの」とは何か、どんな場合に「盗む」という行為と認定されるのか等ということも含めて、学ばないと理解出来ない。近代以前にはそれを人は宗教的戒律とそれに追随する物語から学んだ。近代以後は、それを教育から学んでいる。だが、いずれにせよ大事なのは、それは学ばないといけないということである。もし、それが本当にアプリオリに習得出来ていることならば、人は過ちを犯すことはないだろう。ただし、これは学んだとしても人は過ちを犯すかもしれない、ということとは矛盾しない。この事実は、むしろ、道徳的（非道徳的な）行為が、論理的に説明出来たとしても、それだけで人はコントロールしきれないことをよく示している。「盗んではいけない」ということをルール（論理）として学ぶとともに、物語によって説得されることによって、論理や倫理観は確立する。ならば、年齢の若い時に、それを「型」として学ぶことは非常に重要なことなのではないか。

幼い時に「盗み」を非道徳的な行為として、テキストから学んだという経験が、倫理観の根底にあってこそ、「羅生門」のように「盗み」の反倫理性に関する自明性を疑おうとするテクストの教室における意義が生じるのだ。逆に言えば、そうした根底を形成する時期の多様性教育は、根底の基盤自体を揺るがせてしまい、比喩的に言えば、精神的土壌の液状化を招いてしまうのではないか。

『「いき」の構造』で有名な九鬼周造が、日本古来の歌の韻律（七音と五音の組み合わせ）について、以下のような見解を述べている。

自由詩を主張する者は感情の律動に従ふことを云ふ。然しながら、この場合の従ふといふ意味は詩の律格に従ふ場合とは意味を異にしてゐる。感情の律動とは主観的事実である。詩の律格は権威を持って迫る客観的規範である。両者の間には衝動に「従ふ」理性と、理性に「従ふ」自由との相違に似たものがある。自由詩の自由は恣意に近いものである。律格詩にあつては詩人が律格を規定してみづからその制約に従ふところに自律の自由がある。

（『日本詩の音韻』）

これは、なかなか興味深い指摘である。つまり、「**自由**」とは、ある種の不自由な枠組みを与えられてこそ発生するものであり、すべてが自由である状態の中には、何の自由もないと言うのだ。これを国語教育に敷衍すれば、「**多様性**」や「**自由**」を安易に目標としてはならないということになろう。ルールが常に開かれたものである（「**自由**」である）ためには、ルールの自明性に対する疑念を持つことは大切な能力である。しかし、一方で全くルールがない状態で、「**自由**」であることは出来ない。「**自由**」とは、ルールの中での「**自由**」でしかないからだ。

年齢が若いうちは、出来るだけ「**型**」を教えることを躊躇しない方がいい。「**型に嵌める**」という言葉がいい印象をもたれないように、どうしても教員は、「**型**」よりも「**自由**」な「**個性**」を尊重したがる。しかし、「**個性**」と「**教育**」とは、原理的には排中律なのかもしれない。逆に考えれば、「**画一化**」によって簡単に馴らされてしまうようなものは、真の「**個性**」として育ちはしない。「**個性**」とは、「**画一化**」への抵抗から生まれるものだからだ。

中・高校生ぐらいになると、正解が「泣く」であった国語問題に対して、俺は泣けなかったという反論をしてくることがある。これは、世間的にもよく聞かれる国語問題への反論のパターンでもあるのだが、実は、そういう反論をしてくること自体が分かっていない証拠なのである。こういった問題は、ある程度の数の人々に共通して見られる可能性の高い解釈を「正解」にしているだけであって、解答者自身が泣けなかったことは、問題の答とは関係ないのだ。理想的な正解は、「俺は泣けなかったが、ここは泣かせようとしている表現であり、（俺自身は納得しないが）それはある程度成功していると言える」と読解出来ることだ。試験問題ならば、波線の部分が「泣けたし」であれば気持ちよく正解となるが、この場合は、世間的な反応と自分の反応が偶然一致しただけであり、真の意味でそれは「正解」ではない。

もちろん、これは作者を全面肯定して読んでいるわけでもない。**作者の意図が何であれ、結果的に読まれる可能性の一番高い読解**を問うているわけだ。学年があがってくるにつれて、**説明文**は**評論**となり、**児童文学**は**文学**となる。すると、世間一般の「型」を前提としながら、その自明性を再考しようとするテーマを内包している可能性は大きくなる。**説明文**は、論理や知識の「型」の形成を養い、**評論文**はその「型」を再考する。**児童文学**は倫理の「型」を養い、**文学**はその「型」を再考する。

高等学校（後期中等教育）における**自明性批判の基礎は**、**初等教育における「型」の習得**にあると言っても過言ではない。初等教育における「型」の形成は、もっと意識的になされてもよいとすら思う。もちろん、その「型」自体を議論の俎上に乗せ続けることは大切なことだが、それはむしろ教える側の問題であり、「型」の教育自体が批判される理由はない（型なくして型の批判もあり得ない）。

「型」の教育と「自明性批判」の教育の相違点、移行について考えてみよう。教えている「内容」の「価値」について、常に確認を怠らないようにしよう。

7　文法とは

理系における数学の位置が、文系における国語にあることは比較的分かりやすい比喩だと思われる。物理学も科学も医学も、数字の知見を最も信じられるデータとして採用している。同様に、社会学も法学も言葉の学問である。

学問としての数学は、単に正解を導き出すことを目的とはしていない。その正解を正解たらしめる**システム**を問題としている。我々の知る関数は、X軸とY軸という二次元の世界だけを問題としているが、本当の世界は言うまでもなく三次元だ。そこには、奥行きに相当するZ軸も存在する。だが、軸が一つ増えるならば、中高と六年間学んできた二次元関数の**システム**では通用しない。かと言って、三次関数の計算を一般教育のレベルで求めるのは難易度が高すぎる。そこで、三次関数などは、世界との相同性が高いとは言えども、大学の専門領域で学ぶ。

何かを考える際には、それに合わせた**システム**を構築する必要があり、それは既存の**システム**では通用しない、新たなルールの構築を意味する。だが、いきなり複雑な**システム**や**システム**の更新を学ぶことはあまりにも効率が悪い。

我々は、十で位が変わること（十進法システム）を普遍的な常識と考えているが、パソコンなどは、通電状態である「1」と無通電である「0」しか理解出来ない（二進法システム）。我々の「2」は、パソコンにとっては「10」だし、「3」は「11」である。ならば、我々は、世界の情報をパソコンに渡す際には、二進法という数字のシステムへの変換が必要だし、パソコンの情報は、十進法に変化しないと我々には理解し難い数字になる。パソコンは、分析する我々と分析対象との間で、この変換を驚くべき早さでやってのける。

だが、パソコンそのものを理解するためには、二進法システムの理解も必要だし、両者の**システム**を変換する方法の研究も必要になる。

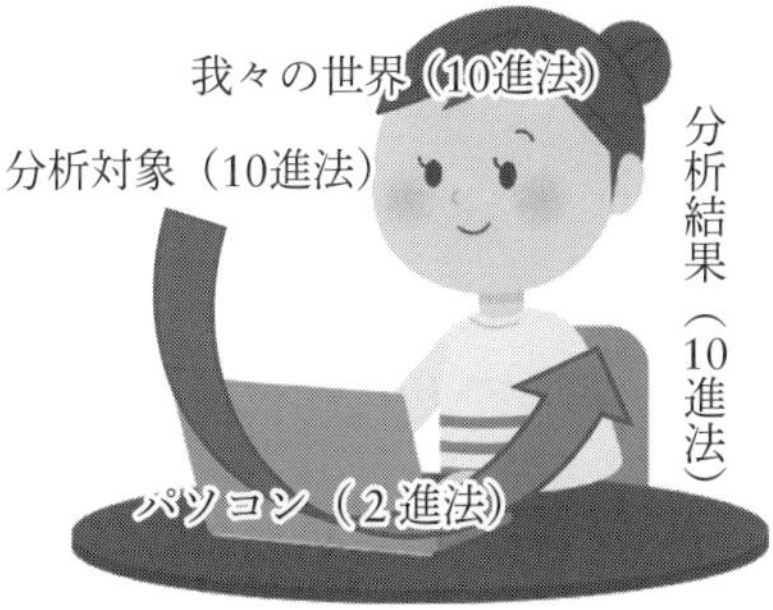

大学の数学が、こうした**システム**そのものを考えているのに対し、大学における「国語」も**言葉のシステム**そのものを問題にしている。論理学、哲学、文学、言語学それぞれの分野で、言葉の**システム**そのものを考えているのである。

たとえば、**文法**規則を教えることが**国語教育**であるならば、**学問としての国語学**は、様々な実例の検討からその**文法システム**自体を考える。なぜ、**システム**を検討する必要があるのか。我々は学校で習った**文法**を唯一無二の**システム**だと考えがちだが、その割には、学校で習う**文法**で分析できない言葉の事象は沢山ある。現在、学校で習う品詞分解を基調とした**文法**を橋本文法と呼ぶが、同じ日本語でも時枝**文法**など、多くの種類の**文法システム**が存在するのだ。時枝**文法**の方が、テンス（時制）やアスペクト（たとえば、受け身や使役）を分析するには便利だし、西欧系の言語を学ぶ際も理解が早まる。一方で古典を学ぶ時、橋本文法は有効な手段の一つになるが、外国人が初めて日本語を学ぶ時、橋本文法はあまり有効な手段とはならない。

文法とは、比喩的に言えば、リンゴのしくみを知るためにナイフで切ってみた断面図のようなものだ。断面図は、便利ではあるが、その切り方によって、様々な様相を示してくる。どの断面図が正しいかではなく、何を知りたいのかによって、選ばれる断面図が決まってくる。

現在、橋本文法を国語の授業で「文法」として学んでいることには様々な歴史的経緯と事情がある。それを踏まえた上で、新たな文法体系を教えることを考えてみることも大事なことだし、今の学校文法の問題点を考え、改善点を提示することも大切なことだろう。そのためには、今目の前にある「文法」を相対化する契機が必要なのだ。高校で古典文法を学ぶと、中学で苦労した現代文法の理屈が急に理解できるようになる。大学でフランス語などの第二外国語を学ぶと、英文法の理解が深まったりすることがある。将来教師を目指す者は、自分の志望する学校で教授に必要な知識が取得できればいいのではない。教えるためには、知識そのものの相対化が必要なのである。

「文法」と理論を混同しがちな我々は、文法的に理解できる日常言語に対して、文学などの言語（詩的言語）を、理論的ではないと考え、結果、国語における物語読解を感性的な行為だと受け取りがちである。だが、それは転倒なのである。日常言語を理解するために作られた「文法」で、詩的言語が理解できないのは、当然のことであって、詩的言語にも、それを理解するための文法が別途に存在してしかるべきなのに、詩的文法の存在を知らない人間ほど、詩的言語の分析を感覚とか感性的とかいう言い方で批判する。詩的言語が、非論理的であるのではなく、狭すぎるルールに合うものしか、論理的であるとみなさないことに問題があるのだ。

大学において、「文学」から学ぶべき重要な事項に、この**詩的文法**があることは言を俟たない。もちろん、現代語文法が現行のすべての言語現象を説明出来ないように、現在の**詩的文法**にも様々な限界や制約はある。だが、ここで急務なのは、**論理的文章**という理念が、言語の重要な一翼を担っているはずの、**詩的文章《文学的文章》**を不当に排除してしまう流れにいかに抗すべきかという問題である。

言葉の教育における偏重の話で触れたように、国語教育は、四技能の推進などに取り組んではいるものの、実際の教室では相変わらずインプット中心である。もちろん、どう読んだかは、結局どう表現したかによって見られるわけだから、必ずしもインプット偏重ではないという反論もあり得る。しかし、「正しい」読み方という呪縛は、どうしても、答（アウトプット）以前に存在する「正しさ」という概念を引き込んでしまい、アウトプットの技術という反省に辿り着きにくい。つまり、いい答え方よりも先にいい答（正しい答）を考えよ。いい答えであれば表現（答え方）が拙くとも伝わるものだ、という指導になるわけだ。

何度も言うが、**我々の通常のコミュニケーションにおいて、正しいからこそ伝わったというのは、結果論である。**実際には、伝わったという実感の後に、その原因が正しかったからだと、事後的にみなしているのだ。言葉が、人の心を動かせるのはなぜか。どういう言葉が人を動かすのか。国語科を、ひいては文系全体を、理系のように「役に立つ」という土俵に上げるためには、この点を充分に吟味する必要がある。

何のためにルールを教えるのか。違ったルールを教えるのは何のためか。
日常言語とは異なった詩的言語（文学的言語）のルールとはどんなものか。

8　言葉を学ぶことが役に立つとは

教員にとって、もっとも厄介であるが逃げてはならない事柄に、その学びが何の「役に立つ」かという問題がある。学問とは、本質的には知的好奇心からくるものであるから、「役に立つ」なんていうのは、野暮な考え方であるという考え方。もしくは、「役に立つ」方法は人それぞれなので、どんな学問も必ず「役に立つ」という考え方。これらは、いずれも間違いであるとは言えないが、いくつかの点において反論せねばならない。

まず、「役に立つ」方法は一つではない。流行する病にワクチンを開発する、今にも崩壊しそうな建築物の有効な補強法を考案するなど、理系の学問は、今目の前にある問題の直接的解決に寄与する傾向があるが、こうしたすぐに「役に立つ」方法を、「短期的有用性」と呼ぶ。もちろん、理系にも、基礎学問はあるが、高額な研究費が必要な上、研究予算を獲得するには、目に見える目標をはっきりとした時期までに生み出す必要があるため、どうしても理系的学問と「短期的有用性」は、結びつきやすい。

一方、病が癒えた後も後遺症や差別に苦しみながら生きてゆかねばならない時、違法建築や自然災害により一瞬にして全財産が崩れ去ってしまった時、その絶望から人はどう立ち直ることが出来るのか。こうした問題には、個別的対処が必要であるし、その方法も時と場合、人によって大きく異なる。だが、共通しているのは、長い時間をかけて考えるべき問題であり、個人のみならず、社会全体の問題として考えるべき課題であるということだ。精神分析学、法学、歴史学、経済学、社会学、文学……。こうした長期的スパンに立っていかに「役に立つ」かというのを、「長期的有用性」と呼ぶ。

このように、理系と文系では、「有用性」の種類が異なると、ひとまずは言えるが、「短期的有用性」で価値を判断されやすい理系の中でも、科学や物理の基礎領域や一部を除いた数学の多くの部分は、「**長期的有用性**」でしかその価値を測り得ない。一方で、全体的に「**長期的有用性**」でしか価値判断しづらい文系の中でも、言葉を考える国語系の学問は、最も価値を測りにくい存在ということになる。

こうした状況の中で、先にあげたような考え方を提示してみたところで、文系を、ひいては国語を擁護する主張を展開することは難しいだろう。だが、一見、絶望的に見えるこの結論の中には、希望に繫がるかもしれない重要なヒントが隠されている。

短期的有用性ばかりが幅をきかせる世の中は、経済を中心に余裕のない状態であることの反映である。そうした状況下において、あくまでも長期的有用性を主張してゆくことは大切なことであるが、全国的な文学部系組織の縮小、高等学校の国語教科書における文学教材排除等文系特に文学系をめぐる厳しい状況の中では、己の存在価値を主張出来ずに、無価値というレッテルを貼られてしまう。

あらためて、**国語の短期的有用性**を考えてみる。現在提唱されている四技能、読み書き、聞く話すという面は、文字／音声、インプット／アウトプットという対で四象限をなしている。だが、どうしてもインプット偏重の教育になってしまい、なかなかアウトプット教育の充実には手が回らないのが現状である。だが、これまでにも論じてきたように、この偏重は、アウトプットの技術を軽んずることに繫がってしまい、表現教育の不可能性という結論に陥ってしまう。

確かに効果的な表現に必要な要素には、「美」という側面がある。伝わる声には、声質、抑揚、早さなどが、伝わる文章には、文字の書き方、構成、レトリックといった側面があり、内容だけが伝達の可能性を決めてしまっているわけではない。これら、文章を「美しく」する面を修辞と呼ぶが、「表面だけを取り繕う」という表現があるように、どうしても、内容と修辞を分けて、前者を称揚し、後者を貶める面があることが否めない。特に「美」のようなセンス的なものが強いジャンルは、教育と相性が悪い面があり、平均程度の「美」は教育出来るが、それ以上はもはや教えることは出来ない領域ということになる。

　このことは、書道などを考えてみるとよく分かる。平均的に美しいと評価される文字の書き方は、教えることが出来る。しかし、それは手本を模倣する能力であり、ある程度以上のレベルになると、美しさは、オリジナリティの問題と無縁ではなくなる。師の模倣は、それ以上でも以下でもなく、師とは異なった何かを成し遂げなければ、新たな美として認められることはない。

　だが、こうした考え方は、教育の目標をかなり高い水準においた場合の話であって、**少しでも多くの人々の表現（アウトプット）能力を向上させたいと考えるのであれば、表現教育には、まだまだ技術化（テクニック）・方法化（メソッド）できる余地が大きい。**いくら正確に享受（インプット）できる能力があっても、表現（アウトプット）出来なければ、何も伝えることは出来ない。さらに、**表現**（アウトプット）の目的をあくまでも伝達であると割り切れば、なおさら伝達内容よりも伝達手段や方法が問題になるはずだ。

　表現（アウトプット）する能力を「説得力」と言い替えてみれば、もっとはっきりするだろうか。「説得力」を得るには、論理の正しさだけではダメなのだ。これは、単に論理で解決出来ることには限界があると言っているのではない。論理で話し合うためには、同じ論理ルールを双方が採用している必要があるが、実際には双方で論理ルールが異なっていることの方が多い。そもそも、全世界で通じる共通な論理ルールなど微々たるもの（ほぼない？）なのだ。

　実際に、人の心を動かす時には、詩的（文学的）ルールが作用していることが少なくない。もちろん、これとてグローバルに普遍的なものがあるわけではないが、到底論理的とは思えない言葉が、人に届くときには、こうした作用があることを看過出来ない。

こうした側面を示すために、ちょっとした言葉遊びだが、人に影響を与える力を（F）とした時、これを物理学のアナロジーで表現してみると、（F）を、こんな感じで示すことは出来ないだろうか。

F ＝ 論理的比重 × 詩的（文学的）加速度

論理はそれ自体（の質量）では、力を発生させることは出来ない。重さは、そこに有り続けるという意味で、または何かの力に対する抵抗力という意味で重要だが、どんなに質量があっても、それ自体が積極的に他に力を及ぼすことはない。そこに、非論理的（＝文学的）なエネルギーが作用することによって、初めて説得力という力が発生するという意味の比喩である。論理的比重が軽くとも、ものすごい加速度によって、人の心は打たれる（撃たれる）ことはあるし、どんなに論理的比重が重くとも、詩的加速度が伴わなければ、日常の生活では、心に届く前にさっと避けられてしまうだろう。

だからこそ、論理が必要な場（たとえば、裁判など）ほど、専門用語と専門知識のある人間たちによって、なるべく非論理的な要素が排除された空間で行われるのだ。しかし、そんな場合ですら、たとえば情状酌量の判決が得られるような場合、その弁論の中に情を喚起するための、詩的要素が含まれていないことはほぼない（でなければ、裁判モノという物語ジャンルも存在しない）。

文学作品をゼミで議論した時も、多くの人々に説得力を持つ読みは、論理性によって作られているわけではない。私の主催するゼミでは、発表者を複数設定し、最後にどちらの読み方がよかったかという投票を行なっている。簡単に言えば、勝ち負けを可視化しているわけだが、面白いことに、どんなに読み方が論理的でも、その読み方にある種の魅力がないと、票を得られないのだ。逆に、多少の論理的な不整合を含んでいたとしても、読み方自体が面白いと思われれば、承認を得ることができる。

承認を得るには、その場がどういったメンバーで構成されているのか（解釈共同体）を常に意識する必要がある。たとえば、女性のメンバーが多い解釈共同体で、マッチョ（男性中心主義的）であると受け取られかねない読みを提示して、支持が得られることは普通ないだろうし、マイノリティが可視化されている空間（たとえば、留学生を含む演習など）でマイノリティ差別を含む読み方が許容されることも少ない。そうした空間の中にマッチョあるいは差別的な読み方があえて提示される場合は、その読み方自体を批判したい場合に限られるだろう。

誤解のないように付け加えておけば、場の空気を読んで承認を得られることを優先せよと言っているのではない。そうではなくて、男性ばかりの空間でフェミニズム的な読み方を、あるいは女性ばかりの空間でマッチョな読み方を提示するのであれば、それなりの戦略が必要であり、それは論理的整合性だけではなされないという自覚が大切なのだ。詩的（文学的）表現能力とは、我々が日常生活の中で、己の考え方をいかに周囲に説得するのか、という短期的有用性においても有効な力なのだ。

承認を得る語り方（書き方）＝表現の技術について具体的に考えてみよう。

9　分野同士の紐帯

文学部系の組織は、多くの場合、国語学と古典文学（漢文学は多くの場合、古典漢文しか扱わないので、この説明では古典文学に含んでいる）と**近代文学**を構成要員としている。ここに、思想や民俗学、文化、教育などの教員が配置されている場合もあるが、それはかなり余裕のあるスタッフ陣営の場合であり、多くの場合前者の三分野の教員が、専門外の分野を兼ねざるを得ない場合が多い。こうした事情は、多様なスタッフを潤沢に揃える予算がないといった問題でもあるのだが、ここでは、ある程度あり得る選択肢の中で、なぜこの三分野に集中しているのかといった問題から考えてみたい。

先の三分野、**近代文学**、**古典文学**、**国語学**を縦の三分割として把握してみると、言語が異なる学科同士は、横の分割として機能している。つまり、仏文であるならば、フランス語圏でこの三分野の教員がいるだろうし、独文であれば、ドイツ語で同様のスタッフを必要とするということである。言うまでもなく、文学部にある学科が国文科のみならば、横線の要素は必要ないということだ。

日本近代文学	国語学	日本古典文学
フランス近代文学	フランス語学	フランス古典文学

文学部では通常、中高の教員免許が取得出来る。この時の国語教育関係の科目を担当するのは、**国語教育**（**教科教育**）の専門家か実務（経験）者であるが、これらの**国語教育**の分野にも、それぞれの文学系の専門科目あるいは学問内容的に対応した専門性がある。つまり、同じ**国語教育**でも、書かせる教育という**メソッド**に関心がある教員や、近代文学の教え方などを専門としている教員がいるということだ。だが、実際には、**国語教育**の専任スタッフを有していない組織も少なくなく、その場合は専門科目の教員が教育法のそれを兼任したりする。一方、国語教育の専門教員がいたとしても、**古典文学**、**近代文学**、**国語学**の教育法をすべて兼任していることが少なくない。

一方、教育学部の国語専修では、文学部とは異なり小学校の免許が取得出来るので、必ず**初**

等教育の国語教育専門家がいることになる。初等教育では、何を教えるかよりも、どう教えるかが議論されることが多いので、メソッド（教育方法）が専門性と重なることが多い。だが、よほど特殊な大学でない限りメソッド（教育方法）によってスタッフがそれぞれ配置されることはない。もちろん、余裕があれば、国語教育専門の教員の数は増えることになるが、国語教育では多くの場合、中等教育、高等教育といったように、教える対象年齢で区分する傾向があるので、やはりメソッド（教育方法）よりも、初等教育担当、中等・高等教育担当教員というような分かれ方になる。

それでも初等・中等教育の場合ならば、教育担当の教員が様々な内容の教育法を兼任することは難しくないかもしれない。しかし、後期中等教育（ISCDE レベル3）になると専門性の難易度が増すため、古典と近代文学の教授法などといった異なる内容を兼任することは難しい。ただ、エビデンスがないので断言は出来ないのだが、国語の高等教育を専門としている研究者の専門領域が、古典や漢文、言語学であるケースは少なく、なぜか近代文学であることが多いように思われる。結果、古典文学の教員が古典教育法を兼任したり、近代文学の教育法の教員が、近代文学の専門を兼ねているケースは多い。国語教育と文学研究の間の様々な混乱が近代文学領域に集中する大きな要因の一つは、そこにあるようにも思われる。しかし、逆に考えれば、この混乱の中で議論されてきた積み重ねは、単なる学問的ヘゲモニー争いなどではなく、今後充分検討されるべき価値があると思う。

また、近代文学は当然ながら古典文学との切断／接続の上に成り立っているので、古典文学の知識を知らないで近代文学を読むことには限界がある。また、古典文学は、その時代の一般感覚（古典常識）を復元して読むことが求められながらも、一方で我々が古典を読み続ける「いまここ」的な価値を考える必要がある。いわゆる不易／流行というわけだが、どちらを見出すにしろ、自分たちが依って立つ位置を普遍的なそれと思わないようにするためには、「近代」に対する客観的な視線が不可欠だ。

中学の時に理解が難しく感じた口語文法が、文語文法を学んだあとに振り返ると、途端に簡単に見えることがある。これは、理屈が見えて、丸暗記していたものが相対化されたからに他ならない。たとえば、「行かむ」が「行く」の未然形に意志の助動詞「む」が接続したものだという理解と、音便の知識があれば、なぜ現在の口語文法は、「行か」に「行こ」という未然形が加わっているのか容易に理解出来る。もちろん、理解出来るからと言って、その理解をそのまま教えることが効果的とは限らない。しかし、いい教え方の前提に、きちんとした理解があることはとても大切なことなのだ。古典と近代の知識は、お互いの考え方を絶対化せずに、相対的なものとして考えるために不可欠なのである。

比較を中心とする言語学は、日本語に特化した国語学と比べるとどうしても今話されている言語体系を中心に研究されることが多いため、現在は使用されていない言語体系の研究の方が弱い傾向がある。さらに、古典の読解研究が文学的なものに偏っているために、文語文法の研究も多くは文学的なものに偏ってしまいがちで、それ以外の文章（公的な漢文体や古文書）などが、もっと言語学的な方向から研究される必要性がある。

また、日常的なコミュニケーションに使われている言語への偏向は、書かれている、もしくは語られている非論理的コミュニケーション（詩的あるいは物語的）への注目を二次的なものにしてしまう。いわゆる、文法（理論）が通常のコミュニケーションで使用される言語の中から抽出されたものであるならば、文学的（詩的あるいは物語的）コミュニケーションの中にある、非論理的とされるものの中から、別種の論理性を見出す必要もあるはずだ。

言語学／古典文学／近代文学の領域は、手薄な領域を補いながらお互いに補完し合っている。特に高等教育に携わろうとする者ほど専門性に没入し、言葉は悪いが、いわゆる専門馬鹿に陥りかねない。また、専門性に没入するほど、教育方法の問題を軽視する傾向も見過ごせない。専門性を最上位に置き、現場にその知を下ろすという考え方が、独りよがりな授業を成立させてしまう。文学的価値や言語学的問題が目下議論されており、「通説」が定まらないものを高校や中学で教える際には、充分注意する必要がある。前述したように、応用的見地（新説）とは、基礎（通説）がベースになってこそ意味がある。絶対的、普遍的、恒久的などというものは、高等教育での学問が最も疑ってかかるべきものではあるが、一方現状として最も汎用性の高い考え方をいかに教えるかが、初等・中等教育の中では不可欠であることも忘れてはならない。

専門領域（国語学・近現代文学・古典文学・漢文学）と国語教育との間にある問題点及び理想的な関係性について考えてみよう。

10　近代文学研究の短期的有用性

以上、国語の授業時のアウトプット教育の充実という観点から、文学教育の必要性を述べてきたつもりであるが、文学教育、研究の意義について、もう少し補足しておきたい。

文学のようなコミュニケーションを「虚構行為」と呼ぶことがある。虚構行為とは単に嘘をついて騙すという意味ではなく、聞き手と話し手の間に「嘘」の了解があってなされているコミュニケーションのことを言う。実際、ノンフィクションであったとしても、そのすべてが事実であるわけではなく、そこにはある程度の演出等がなされていることを、我々は普通知っている。

よくリアリティがある／ないという評価をなすことがあるが、これとても、リアリティ＝現実っぽさであるわけだから、現実の出来事に対してリアリティが問題になることはない。リアリティとは、現実ではないものが、どの程度現実を感じさせる力があるのかという指標なのだ。ただ、すべての芸術は原理的に現実ではないのだとしたら、リアリティは、ジャンルや時代によって変化する指標である。リアリティに限らず、芸術を評価する物差しには、普遍的なものはない。芸術史や文学史は、普遍的な価値を有するものの歴史ではない。こういった歴史から学べるのは、それぞれの時代の価値体系であり、価値の相対化という視点である。

文学史とは名作の歴史であるという思い込みが、それらの作品を絶対化し、それらを理解出来る力こそが己の感性であるという誤謬を生み出す。だが、文学とはこうした感性を磨く学問ではなく、我々のよいとする感性がどのような指標に基づいて構築されているかを探究し客観化しようとする学問である。

こう考えれば、入試の文学史では記憶させられるのに、意外と読まれない作品の意義も変わってくる。一つは、**その時代独自の価値観を明らかにしようとする研究**、もう一つは、そこから逆照射される我々の価値観を改めて考え直そうとする研究。また、ある価値観が当時存在しなかったため、**歴史に残らなかった作品の再評価**、あるいは、それらの作品による**別種の歴史の構築**など、文化史研究には、政治史などに代表される歴史研究とは異なった意義を見出すことが出来る。

また、歴史研究の対象は、通常政治や経済などといった分野の歴史に偏りがちであるが、そういった価値の高いと考えられている歴史を「**大文字の歴史**」と呼ぶ。これに対して、文学作品には、当時ならあたりまえに考えられていた考え方や行動が書き込まれていることが多い。

たとえば、志賀直哉の「流行感冒」（一九一九）の中で「芝居に行ってはいけない」と注意した若い女中が忠告を無視してこっそり出かけてしまう場面があるが、もし当時の人間がこれを読めば、世界中で大流行したスペイン風邪のことだとすぐに理解出来るだろう。二〇二一年七月現在、我々が「ウイルス」と言えば、コロナウイルスを指すことと同じだし、一〇〇年前の日本で同じような出来事や思想の劇が繰り広げられていたことは、驚きに値する。だが、スペイン風邪という出来事は、「**大文字の歴史**」として記録されるが、その時の人々の行動や気持ちは、文学にしか残らないのだ。こうした歴史性を「**小文字の歴史**」と呼ぶ。

ある政治的出来事が大きな意味をもつ（**大文字の歴史**になる）のは、ある程度歴史が経過した後でないと分かりにくいものだが、**小文字の歴史**は、同時代の多くの人々に共有されている。時が経っても語り継がれるのは**大文字の歴史**だが、そこに生きていた人々の**小文字の歴史**感覚は、歴史書や古文書を読解するのとは、異なった読解力（文学的読解力）が必要になる。**小文字の歴史**性は、作者すら意識せずに書いていい、いい、しまったものであるので、作家の意図を追究しようとする読み方（作家論）ではなかなか浮かび上がってこない。そういった意味で、**大文字の歴史**性を相対化する文学は非常に重要な歴史的「資料」なのである。

さらに、文学を構成する要素を「物語（的要素）」「詩（的要素）」と考えてみると全く別の側面も開けてくる。我々は、本当の出来事を一次的、本質的に重要であるとみなし、物語を二次的、副次的なものであると通常考える。「そんなの所詮、物語だけの話で、現実となると別だよ」などという言い方は、まさに典型的な反応だ。

しかし、ならば我々は決して忘れたくない素敵な出来事（経験）をどのような形で記憶に定着させ、どのように人に伝えるのだろうか。我々の記憶自体が、物語の様相をもって構築されているし、物語化出来ないものを人に伝達するには、絵を描く才能など、特殊な技術が必要となる。

我々が、ある人物を理解している、よく知っているといった事態は、いかなることを示しているのだろうか。「やさしい」という人物属性は、その人間をめぐる「やさしさ」をめぐる物語の記憶が伴って初めて、その属性として機能する。その人物の「やさしさ」を示すエピソードが何も語れないのに、どうしてその人物を「やさしい」と言えるのか。

こうして考えて見ると、物語の登場人物をよく知っていることと、現実の人間をよく理解していることは、さほど変わらない構造によってなされているのではないかと思われる。これは、物語好きは、虚構と現実の区別が付いていないという批判ではない。**我々は、虚構であっても、現実であっても、同じしくみに基づいて理解している**のだ。

そう考えないと、なぜ我々が物語中の虚構の人物の死に同情の念を起こすことがあるのか、全く理解できないはずだ。死が現実であるから同情を引き起こすのではない。実際、我々は（本当に生きていたことを）よく知っている人間の死を、日常のニュースのように受け流してしまうことだって少なくない。一方で、映画やドラマ、マンガといった明らかに虚構であると理解しながら読み進む物語のキャラクターの死が、深い悲しみとなることは、人として普通の感情である。そのキャラクターは、そもそもこの現実世界に生きているとも言えないのに。

我々は、現実の出来事を物語化し、その感情や感覚を詩化して生きている。なぜか。おそらく、それしか出来事や感情を記憶し、伝達する方法がないからだ。フロイト以後の精神分析の知見は、精神的な病とは、言語化出来ない出来事（トラウマ）から呼び起こされる苦しみであると見出した。そして、病を治癒する有効な方法は、他者に語ることであることを発見した。

有名な「リング」（一九九一）という物語がある。あの物語で貞子は、なぜ呪いのビデオを念写したのか。自分が絶命するまでの二週間の苦しみを他者に与えるためか。そうであるならば、なぜ他人にダビングして見せることで助かるという逃げ道を用意したのか。おそらく貞子の真の狙いは、誰かを殺すことではなく、一人でも多くの人間に死ぬまでの苦しみを伝播することにあったのではないか。

ナチスのガス室の、あるいはひめゆり部隊の生存者は、その悲しみや苦しみをなぜ語り続けるのか。死んでしまった家族や仲間が帰って来ることはない。強制反復される悲しみは、語ることによって、より増してゆく一方であるはずなのに。

もちろん、苦しみや悲しみばかりではない。なぜ我々は、その日にあった、楽しいこと嬉しかったことを友に、家族に伝えようとするのか。なぜ、人の努力や成功の物語に心を寄せたりすることがあるのか。

これらのコミュニケーションは、内容の伝達のために行われているのではないのだ。言語はメッセージ（意図）を運ぶための道具であるという素朴な言語観を「言語道具観」と言うが、むしろ実際のコミュニケーションの多くは、ある内容を伝達するのではなく、伝達行為の結果としてある内容が生まれるのだ。苦しかったあるいは楽しかった「事実」内容を伝達することが目標なのではなく、それによって相手に生じる感情や感覚を期待して話すのだ。

もちろん、出来事の内容が通じたとしても、それによって期待した感覚が相手に生じるかどうかは定かではない。場合によっては、想定したものとは逆の感情・感覚が相手に生じてしまう可能性だってある。だが、それでも人は語るのだ。語るしかないのだ。

コミュニケーションに伝達以外の要素があることをあらためて確認することは重要であるし、それは、むしろ、一般的な論理性に基づく言語道具観で説明出来るコミュニケーションと変わらない比率で存在するのだ。こうした、感覚的・感情的コミュニケーションは、物語の論理性（物語文法）に基づいている。国語という科目の日常的効用（短期的有用性）をこのように考えてみることは、教えたいから教えたい、楽しいから教えたいといった情動的な主張よりも、文学教育に大きな意義を与えることが出来るのではないだろうか。

文学（詩や物語）、文法、古典や漢文を教える意義を短期的有用性の観点から考えてみよう。

第二章

表現あるいは構造、それ自体への注目

文学の文法の見取り図

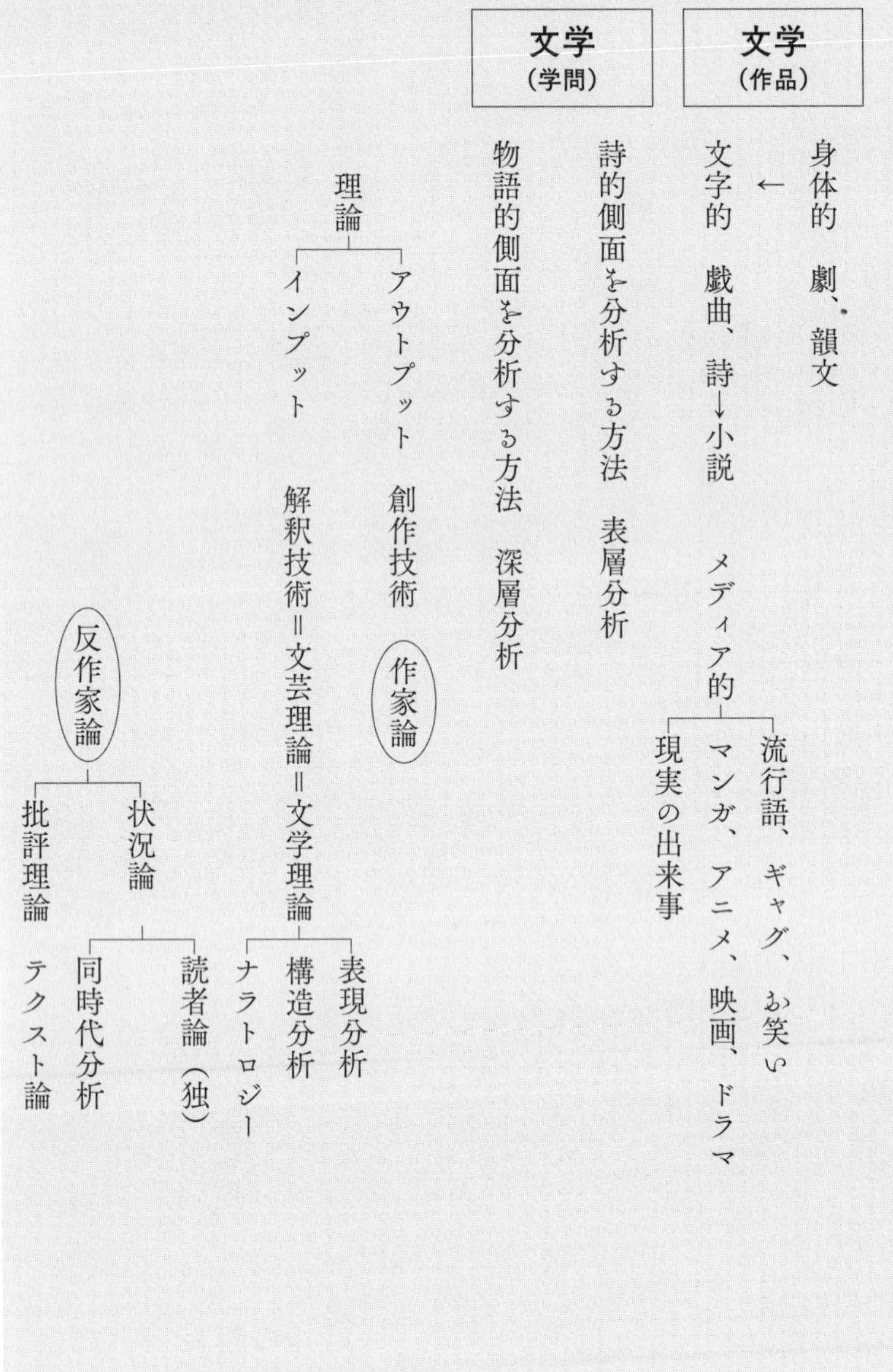

文学（作品）

身体的　劇、韻文
↓
文字的　戯曲、詩→小説　メディア的
- 流行語、ギャグ、お笑い
- マンガ、アニメ、映画、ドラマ
- 現実の出来事

文学（学問）

詩的側面を分析する方法　表層分析

物語的側面を分析する方法　深層分析

理論
- アウトプット　創作技術　（作家論）
- インプット　解釈技術＝文芸理論＝文学理論
  - 表現分析
  - 構造分析
  - ナラトロジー

（反作家論）
- 状況論
  - 読者論（独）
  - 同時代分析
- 批評理論　テクスト論

1 文学の文法を学ぶ前に

文学的文章に見られる「文法」に早くから注目していたのは、アリストテレスの『詩学』であろう。ただ、我々がこの書物を見て驚くのは、文学を読むための理論などどこにも展開されてはいないことだ。『詩学』の原題の「ペリ・ポイエーティケース」は、直訳すると「創作術について」、それもその「創作」とは「詩作」を指しているのだ。

アリストテレスの師であるプラトンは、詩作を弁論術や論争術と同じようなものとして捉え、模倣により人を真実から遠ざけるものとして否定的に扱っている。だが、アリストテレスは、模倣（真似び）を学びと捉え、再現を真実の二次的なものとは捉えず、人間の性質の反映と考えた。また、この時代において、散文の価値はほとんど認められておらず、現在の言うところの自由詩や散文詩のようなものは存在せず、文学とは韻文のことであった。ここで、韻文を論じるのは、あくまでも詩作という行為の価値を証明するためであり、その意味では「弁論術」と同様に、表現する側の技術、あるいは方法論といった面があった。さらに、「悲劇」「喜劇」といった「劇」が強調されていることからも分かるように、文字で残されたものよりも、身体表現されたものの価値が大きかった。

詳しくは、実際に『詩学』『弁論術』を読んでもらうとして、ここで確認しておきたいのは、プラトンやアリストテレスらの中では、表現技術を考える際に、「弁論術」に並んで「詩術」（詩学）が並立していたということだ。以後、特に西洋社会では、文学の歴史とは劇や韻文のことを指し、我々が知る小説（散文）の歴史は、思いの外浅いものでしかないのだ。

『詩学』において、詩作は、様態（マター）、課題（サブジェクト）、再現手法（メソッド）などといった分類によってアプローチされるのだが、サブジェクトという分類項目から分かるように、何を描くかについては、伝統に基づいた合意形成がなされており、逆に言えば、新しいサブジェクトを見出すことには価値がおかれていなかったことを示している。

一気に時代を下ることになるが、ロマーン・ヤコブソンは『言語学と詩学』（一九六〇）の中で、「言語メッセージを芸術作品たらしめるものは何か」と問うており、それを「詩的機能」と呼んでいる。この「詩的機能」こそが「詩」を生み出すのであって、「日常言語」と「詩的言語」の区別がアプリオリに存在するわけではないという言い方は、半分は正しいが、ややもすると妙な誤解を生じさせる。

かれら**ロシア・フォルマリズム**（構造主義批評）は、詩の分析も言語学の一種であると定義するわけであるから、その意味で両者の言語を分ける理由がないというのもよく分かる。先述したように、**詩的言語（文学的言語）**は、確かに長く言語学の研究対象としては異端なものとして扱われてきた。しかし、今日の言語学では、位相（使用する集団）が異なる言語を研究する場合でも、それらを一括して同じ言語であるとみなしつつも、内部の差異を明確にすることから考え始めるように、かなりの割合で共通の語彙を使用しているとしても、詩的言語と日常言語は「現象」としてはそれぞれが別々に「存在」するという認識から始めている。

フォルマリズムとかなり近い文学観として、英米の**ニュークリティシズム**のそれがある。直訳すると「新・批評（ニュークリティシズム）」と訳されるこの文学思潮が、当時の英米の文学的情勢を反映し、文学を詩とみなした上で「批評」していることは、たとえば、シェークスピアが、小説家というよりは、詩人であり戯曲家であるイメージが先行することを考えてみればよく分かる。この「新」というのは、それまでの批評を、作家論に根ざした実証主義、もしくは批評家による印象主義であるとみなした上での反発の意識がある。

同様に、フランスのジェラール・ジュネットの『物語のディスクール』において定式化された**ナラトロジー**という手法は、作家の意図を排除する装置として、物語を語る人物をある種の「機能」のように見立てることによって「**語り手**」という概念を抽出し、**語り手**の意図（作為）として物語世界の描写、時間、情報のコントロールの方法を分析する方法を提示している。

作品に対して外在的な情報（同時代常識や作家の伝記的事項）を排除して読む態度（close reading）を徹底し、日常言語の中の何が詩的言語となることに貢献しているのか、その探究を目指す**ニュークリティシズム（新批評）**や、詩的言語と日常言語の差を、その構造性の中に見出そうとする**フォルマリズム（構造主義的批評）**、作家の意図を排除するために**語り手**という概念装置を措定する**ナラトロジー**は、ともに伝統的な作家論的読解を主観的な方法と見做し、文学を読解する客観的な手法を文学内部の解析によって行おうとする点において共通している。

本書では、これら三つの手法を基本的な読解法と考えてはじめに解説する。多くの概説書は、方法や提唱した人物あるいは国別に分類整理した上で解説する場合が多いのだが、どのメソッドがいつ、誰の提唱によるのか、などといった知識は、実際の読解においては、何の関係もないと思われるからだ。

本書では、基本的な読解法（**文芸理論・文学理論**）を、**表現（表層）レベル**を中心に考えるものと、**構造（深層）レベル**を中心に考えるものとに分けて考えてみようと思う。

表層レベルとは、主として表現において、日常的言語をいかに詩的言語に変化させるのかを見出そうとするものであり、**深層レベル**とは、主として構造レベルにおいて見出される詩的表現を支えているしくみを見出そうとするものであるが、もちろん、この両者は綺麗に二分されるわけではない。

たとえば、物語の中に現れる二つの場所をどのように表現するのかという部分を**表層レベル**、それぞれの場所が物語において果たす「機能」を**深層レベル**であると考えることが出来る。この場合、**表層レベル**の問題は多く詩的表現に、**深層レベル**の問題は物語表現の中に見出される。もちろん**表層**と**深層**は、一つの比喩であり、どんな表現においても両者は不可欠な要素であり、根本的には区分不可能なものである。しかしながら、詩的表現に対する方法と物語表現に対する方法は、それぞれあまりにも対話的ではなかった。

本書は、作者（の意図）を排除して、一つの独立した世界としての文学的表現を、主として詩的表現に用いられてきた**表層的な部分の分析法**と物語的表現に用いられてきた**深層（構造）分析の方法**の表裏一体の関係として捉え、これらの方法を基本的な「**文芸（文学）理論**」と呼び、「**批評理論**」と分けて考えることにした。

ここで「**文芸（文学）理論**」から「**批評理論**」という言葉を区分したのは前者の「文芸理論」の応用という意味ではない。確かに、**テクスト論**は、同じ反作家論的な手法である（ようにみなされている）のだが、実際には**テクスト論**という方法が明確に存在するわけではない。

テクスト論とは、作家に限らずあらゆる解釈の根拠には、絶対性（特権性）はないという論者の態度を示すものであって、作家（の伝記的事項）という根拠はなくなるものの、新たな解釈を提示するためには、別の解釈根拠を提示する必要に迫られる。その際に、何を根拠とするかによって、**テクスト論**の内実は決まる。

たとえば、性の問題をテクストに読み込むのならば、ジェンダー批評、あるいはセクシャリティ批評などとなるだろうし、人種（政策）の問題や差別の問題を扱えば、オリエンタリズム批評などになるかもしれない。だが、ここで重要なのは、それぞれの批評が依って立つ根拠、それ自体の根拠の正しさを問うことは難しいということだ。前述したように、あるテクストの読み方で、女性の解放を読み取った場合と、民族の解放を読み取った場合と二種類の読み方が、ぶつかり合う形で提示されれば、二つの読みに対する価値は、読み取り方の方針の根拠よりも、その根拠をいかに上手く使って読めたか。そして、提示された読み方がいかに魅力的かで判断される。

その際、提示される読み取り方の根拠（理論）は誰かの考え方の「引用」となるわけだから、論のオリジナリティは、あくまでも理論の使い方に依るわけだ。その使い方は、解釈の次元で発揮されるわけだから、結果、先の批評の手法が使われる。

論者の読み取ったテクストの潜在的な価値を主張するのが「批評」なのだとすれば、「批評」はあくまでもテクストに対する論理・倫理の実践行為であって、批評理論とは、テクスト読解の際に引用されることの多い論理体系の総体ということになる。

また、反作家論にはもう一つ、ニュークリティシズムや構造主義、ナラトロジーなどに並んで、読者を中心に考える手法もある。読者論と呼ばれるこの体系も、ある具体的な読者（たちの）像を論理抽出して読み込む場合と、実証的な手続きによって同時代的に存在していた読者たちの諸相を明らかにする方法とに分かれる。

前者は、女性読者、子供読者、外国人読者など抽象的な読者を抽出するのでテクスト論的な倫理的実践と結びつきやすい。たとえば、精神分析的な読み方をしたい論者は、当然そうした手法の理解を前提とした読者としてテクストに向き合うことになるわけだ。

一方で、後者も「読者」をテクストとして捉えようとする点では同じである。今では理解しにくくなった当時の読者たちの「常識」を浮かび上がらせるので、前述した「小文字の歴史」と深く関係する。同じ時代の影響下にある文章群を「言説（ディスクール）」と呼ぶが、同時代の言説から導き出された当時の「常識」を読者の解釈根拠として措定しようとしているわけだ。

この場合、いくら同時代の「**小文字の歴史**」を論証出来たとしても、作者自身がその水準の知識を有しているかは確証が得られない可能性がある。だが、当時の読者の平均水準に拘るのであれば、作者の知識や意図などを想定する必要がなくなるわけだ。

古典文学を読む際には、古典常識と呼ばれる知識を前提として読むことが普通だが、どうしても近現代文学を読む場合は、今と同じ世界を共有しているという意識が働いてしまう。特に戦後の文学などを読む際は顕著である。

たとえば、インターネットが一般家庭に普及したのは、歴史的な記録からウィンドウズ95以降である印象が強いが、当時のインターネットは、一画面の表示に数分近くの時間が生じることも珍しくなく、気軽な情報収集ツールといったわけではなかった。九〇年代後半に各家庭に高速回線が普及していったり、ゼロ年代に携帯電話によるネット利用が実用的なものになるにつれ、今のネット情報社会が形成されてゆくのだが、その技術は年単位でかなり変化していた。文学で描かれるインターネットにも当然その時代の技術の反映があり、それをそのまま現在の感覚で読むことは、一〇何年程度前の話であったとしても注意が必要なのである。

総じて、近代という時代の特徴の一つは、技術変化の早さである。平安中期の一〇年と近代社会における一〇年は、社会変化の速度がかなり異なるわけだが、近現代文学の場合その差異があまり重視されず、現在の感覚がそのまま導入されて読まれてしまうため、逆にその時代の常識感覚をテクストから読み込もうとする研究が必要となるのだ。こうした研究を（同時代）言説研究と呼ぶ。

以上、本書では読む「方法」をいくつかの切り方で二分してみた。まず、読解の基本的な「方法」とは、作家論に対立する形で存在する。文芸理論（表層論（詩的）・深層論（物語的））は基本的な読解方法であり、それに対する批評理論とは、対象をテクストとみなした上で、別の学問的成果から得られた価値基準を導入して評価しようとするための手法。また、作家論に対する読者論では、抽象的な読者を抽出する方法と同時代言説の中に居る読者を措定して読む方法がある。

繰り返すが、どの手法もただあてがうだけでは意味がない。それよりも、絶対的な手法、オールマイティな手法はないのだから、テクストに向き合う都度、己の知りうる方法を検討し、最も的確な手法を選択しながら、新たな読み替えを生み出すことが何よりも大切なのである。

2 表層分析――ニュークリティシズム

考えてみれば、当然ながら、文学的な言葉（詩的言語）と日常的な言語は、同じ言葉を使っている。その意味では同じ言語である。もちろん、その違いは、運用面にあるわけだが、どのように運用すれば詩的効果を生じさせられるのかには、言語ごとに違いがある。だからこそ、ある詩的言語の直訳は、詩的効果を失わせることがあるのだ。

イギリスやアメリカのニュークリティシズムという文芸思潮は、言語にどんな運用（作用）をほどこせば、詩的効果を得られるのかという問いを立てた。彼らは、まず作者の意図や作品のメッセージを読み取ろうとする行為を排して、作品自体を読む態度を提唱した。こうした読み方をclose readingと呼ぶのだが、日本語ではこれを「精読」と訳すため、どうしても「精密に読む」というイメージが付きまとってしまう。実際の「close」には「閉じる」という意味があることから分かるように、作品の外部情報や作品に何（what）が書かれているかを閉め出して、内部がどのように書かれているか（how）だけを読み取ろうとするのだ。

このhowに相当する部分が、日常言語を詩的言語に変容させる作用（詩的作用）である。何を詩的作用とするかは、論者によって様々であるが、主としてこういった要素が指摘される。

①アンビギュイティ（曖昧性）、②アンビバレンス（両義性）、③イメジャリー、④アイロニー（逆説性）、⑤パラドックス（背理性）、⑥テンション、●普遍的テーマ

最後の「普遍的テーマ」に数字を付さず見せ消しにしているのは、今日の我々から見てあまり応用出来ない概念だからだ。ニュークリティシズムでは、日常言語を詩的言語にするためには、そこに全人類にとっての普遍的なテーマが描かれていることを必須としている。それらは、たとえば、愛や友情、家族といったものだ。しかし、「愛」一つとっても、その理想形は時代や地域によって様々だ。さらに、文学とは本当に彼らが言うように、全世界に対して「普遍的」なものなのだろうか。もし、そうだとすれば、我々は一切の註釈を頼りにせず古今東西の物語を理解出来るはずである。文学を読むとは、むしろ、どんな「普遍性」を前提として書かれているのかを知ることなのではないだろうか。文学に普遍的価値が埋め込まれているのではなく、文学を成立させている価値を見出して、相対化してゆくことこそが大切なのだ。

では、具体的な技法をみてゆこう。「**パラドックス**」とは日本語に訳すと「背理性」となる。日常言語では同時に使用し得ない表現が、文学では成立してしまうところに詩的効果を見出したものである。「白くて黒いカラス」という言い方を考えてみる。「白いカラス」という表現は、**日常言語**の場合、突然変異した事例などを眼前においた場合以外は誤用となるが、**詩的言語**の中では、違和感なくおさまることも少なくない。ただし、注意が必要なのは、**パラドックス**があれば必ず**詩的言語**として成立するのではなく、**詩的言語**の一部には、**パラドックス**という効用が指摘出来る可能性があると言っているだけであることだ。つまり、まずは効果を充分に感じられる詩的表現が先に存在していて、それを可能にした効果の一端を明らかにしているのだ。当然のことながら、詩的効果の要素を完全に網羅することは出来ない。どんな方法でも、出来ることと出来ないことがあるということだ。

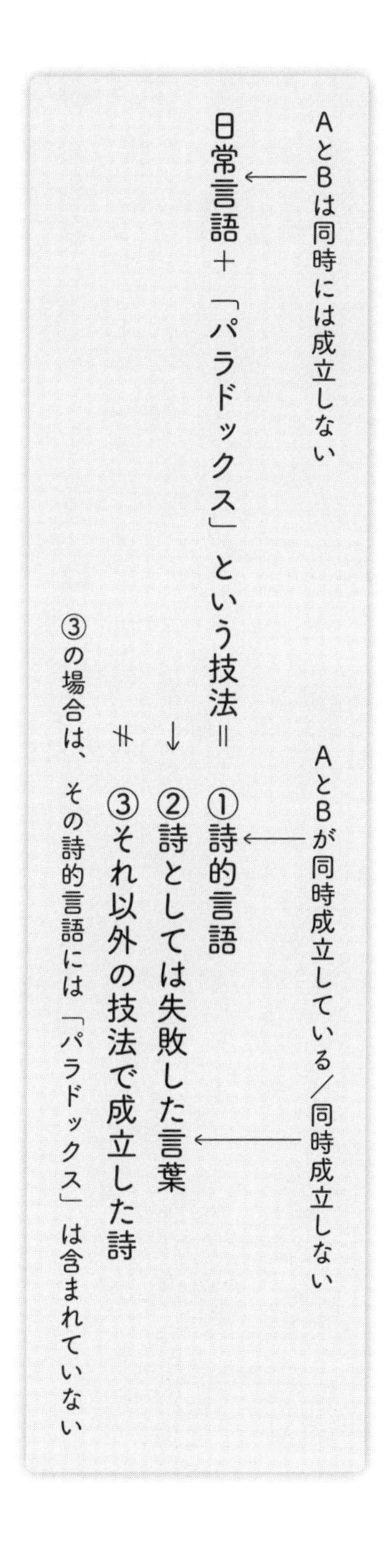

「**アンビギュイティ**」とは日本語に訳すと「曖昧性」となる。つまり、どの解釈にも決定出来ない状況

を指す。逆に「**アンビバレンス**」は「両義性」と訳し、解釈が複数成り立ってしまう状況を指す。こうした**アンビギュイティ**や**アンビバレンス**は、意味が一つに確定出来ないわけだから、日常言語では「誤用」とされてきた。しかしながら、詩的言語では、意味が不確定であることはむしろ常態であり、それがある種の魅力の基になっている。解釈が固定化する言説ならば、そもそも解釈学が成り立つはずがないだろう。よって、**アンビギュイティ**や**アンビバレンス**は、詩的効果が発生する端緒となる。ただし、詩的言語の中に**アンビギュイティ**や**アンビバレンス**な箇所を指摘するだけでは意味がなく、その決定不可能性を支えている構造や、にも拘らず生み出される「詩的」な魅力そのものについて考える必要がある。

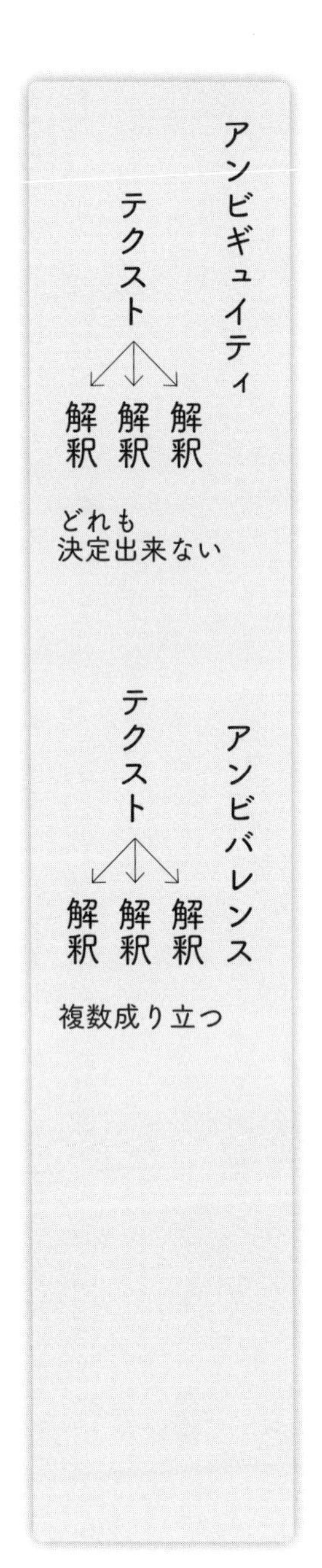

「**イメジャリー**」とは、イメージを喚起する作用のことで、ある言葉が伝える意味内容の広がりに拘った概念である。「桜」という言葉は、ある植物の種類を指す語であるが、同時に「春」や「ピンク」「別れ」、場合によっては「死」などを意味する場合もある。前者のような直接的な意味性を**ディノテーション**と呼び、そこから同時に発生する（可能性のある）意味性を**コノテーション**と言う。**コノテーション**の内容は、同じ言葉でも文化によって異なる。**ディノテーション**が伝達されることは日常言語では必須であ

るが、詩的言語ではむしろコノテーションの伝達に拘る。コノテーションの伝達には確実性がないので、詩人の側からすれば、ある種の賭けのような面があるが、それでも詩人たちは、様々な方法でコノテーションのイメージのリフレクション（反射）に挑戦し続けるのだ。

夕焼空焦げきはまれる下にして
　　氷らんとする湖の静けさ

有名な島木赤彦の歌だが、ここで「夕焼空」の「赤」のイメージは「焦げ極まる」という言葉によって燃えるような高い温度というコノテーションが発生し、それが夜になって「氷らん」としている「湖」というイメージから発する温度の低さというコノテーションがお互い対立することによって際立つしくみになっている。さらに、「夕焼」が上の句にあるという位置が、「湖」の下の句という位置と対立し、それは日中ゆるんだ湖面が夕空の下で再び氷り始めようとしている「湖」という映像とも対応している。「焦げ」という名詞は、黒というコノテーションを発生させるが、それはこれから氷る時間（夜になる時間）と対応することによって、そのイメージの伝達性が高まる。また、こうした対立が、結果的に「静けさ」から生じた逆の動的なイメージを、沈みゆく「夕焼」から発生させている（普通、太陽の移動を「早く」感じることがないように、通常の「夕焼」イメージのみから動的なコノテーションを生じさせることは難しい）。

上・赤・熱・黒・動

（上の句）夕焼空焦げきはまれる下にして

氷らんとする湖の静けさ（下の句）

下・冷・静

こう考えれば、ある単語が持つ**コノテーション**の可能性は、数え切れない程に開かれていると分かるだろう。「夕焼」の**コノテーション**には、「終焉」「希望」「失恋」など様々な**イメージ**があるし、この詩の解釈において**コノテーション**として導き出された「赤」や「黒」といった**イメージ**が別の**コノテーション**を呼び込むことも少なくない。こうして散りばめられた、**ディノテーション**や**コノテーション**が互いに影響し、様々な**イメージ**を増殖させてゆくことを**イメージのリフレクション**と呼ぶ。

ただし、原理的にはどこまでも読み込むことが可能な言葉のリフレクションは、一定の度合いを過ぎると、解釈としての同意が得られなくなり、単なる「深読み」と判断されてしまう。それが「深読み」なのか「新解釈」なのかは、論中の語り方（説得力）によって決まってくる面も少なくない。

先述したように、**コノテーション**は、時代や場所の影響を受けやすいので、安易に別の時空の**コノテーション**をあてがうのはやめた方がいい。たとえば、花言葉などはその代表例だ。花の**コノテーション**は、地域や時代によってかなり異なる。だから、愛の成就／別れといった矛盾する言葉が同じ花に付されるのだ。黒いネコがすべての地域で縁起が悪いわけではないし、「瑞雲」や「日暈」がどんな場所においてもよい意味があるわけでもない。

言葉（シーニュ）＝

シニフィアン／シニフィエ

ディノテーション（字義的、一次的）

コノテーション（派生的なイメージ）

「**アイロニー**」は、重要な技法だ。日本語では「逆説」と訳されることが多い。ちなみに「嫌味」という訳は、「逆説」の中の効果の一つに過ぎない。明らかに悪い評価を受けてしまった子供に、「本当に良い成績をとってきて偉いね～」という言い方をするのは、表面的には良い言い方をしながらも、実際にはかなり悪い心象が伝わる。相手からは「嫌味な言い方だなぁ」という恨み節が返ってくるかもしれない。この場合、最初の台詞を発した人間が相手をけなすつもりなのか、フォローするつもりだったのか、真意は分からない。ただ、いずれにせよ、言葉の字義通りの意味とは逆の形に伝わってしまっている。こうした目的と結果が逆になってしまうような状態を**アイロニー**と言い、日本語では「逆説」と呼ぶ。

「嫌味」は悪意をもつ相手に使う特定の表現であるので、日常言語においては、発話者にそうした意図が存在しないのに相手に悪意に受け取られてしまったり、あるいは相手に伝えようと思っていた悪意が伝わらないようであれば、それらは伝達の失敗ということになる。

だが、伝達の成功／失敗が、当初の意図よりも、その到達（非到達）にあるのならば、物語を伝達するコミュニケーションの場においては、**アイロニー**が発生する可能性はより高くなる。

作者 → 物語 〔人物Ⓐ → 人物Ⓑ〕 → 読者

作者が物語を読者に伝達している。その物語の中で人物Ⓐが人物Ⓑに何かしらの言動があったとする。人物Ⓐの意図していたことが、人物Ⓑには逆に伝わってしまった状況があった時、人物Ⓐから人物Ⓑへのコミュニケーションには**アイロニー**が働いていたことになる。だが、人物Ⓐの意図が**曖昧**（アンビギュイティ）あるいは**複義的**（アンビバレンス）で読み取れない場合、そのコミュニケーションの結果が当初から予定されていたことなのか**アイロニー**なのかは、読者の解釈次第ということになる。言葉や状況に表されたことを最優先してそのまま読むことを、表現に「**シンクロ**」して読んでいるのだとすると、「**シンクロ**」するのか「**アイロニー**」をかけるのかは、読者の選択ということになるわけだ。

ここに、作者の意図というものを想定してみると、読者の解釈は、作者の意図と一致しているのか、そもそも想定外の真逆であったのかという問いを立てることも出来る。作者の意図がある程度分かる状況であるならば、作者が伝えたい読み方（意図）を理解しておきながら、そうでない読み方が可能であることを指摘すること（**アイロニー**）も出来るし、一方で作者の意図通りであると読むことも当然ながら可能だ（**シンクロ**）。

また、作中のすべての登場人物が信じていることに対して、読者だけがそれは嘘であると指摘することも出来る。それは、読者が、登場人物すべてに**アイロニー**をかけていると言えるが、**アイロニー**をかけられるように作者がしくんでいるのだとしたら、それは作者の考え方には**シンクロ**した読み方でもあることになる。

要するに、解釈のコミュニケーションにおいて、「**アイロニー**」や「**シンクロ**」はいたるところに発生するのであり、読み替えとは、皆が「**アイロニー**」をかけている前提で、敢えて「**シンクロ**」して見せたり、逆に「**シンクロ**」している読み方が支配的な中で、あえて「**アイロニー**」をかけて見せることから始まるとも言える。重要なのは、先行論で支配的な読み方が、どの箇所にどういう「**アイロニー／シンクロ**」が生じた結果なのかという把握なのだろう。

送信者の意図→伝達→受信者の結果

意図＝結果（シンクロ）
意図≠結果（アイロニー）

「**パラドックス**」は、先に述べたような日常言語では同時に使用し得ない表現が、成立してしまうところに詩的効果を見出すものだが、「**テンション**」は、それらを字義的な意味（ディノテーション）と比喩や**コノテーション**の双方に成立させ、どちらが本当の「意味」なのかを確定させにくくする技法だ。表の意味と裏の意味の間に緊張感（テンション）を発生させると言ったら理解しやすいだろうか。

鈴鹿山うき世をよそにふり捨てて
　いかになり行く我が身なるらむ

この和歌の「鈴鹿山」という山は実在する山の名前だが、「何かと辛いこの現世をきっぱりと諦め出て行くのだが、果たしてこの先どうなってしまうのか私…」のような意味の歌だと解釈した時、「捨つ」をわざわざ「ふり捨つ」として「ふり」という接頭語をつけている。この場合の接頭語とは、語調を整えるための語なので訳出する必要はない。「いかになり行く」の「なり」は、言うまでもなく「become」の「なる」の意味として使っており、「なる」「らむ」は、断定の「なり」に推量の「らむ」が接続したものだ。しかし、「鈴鹿山」という山名の「鈴」が「ふり」「なり」「なる」と一緒に使われることで、「鈴が振られて音が鳴る」という表面上の意味とは全く異なった関係性を発生させる。

直訳上は、全く現れないこの「意味」は、裏で互いに関係をもった単語の繋がりを発生させ、その裏の関係は表の意味上の関係と表裏一体の形でこの詩を成立させている。詩的表現には、何が言いたいのかといった意味上の価値とは異なった価値が付随しているのだ。

詩的表現ではないが、「レモンの容器（いれもん）」とか「猿が去る」といったいわゆる駄洒落なども、表面の意味とは別の作用が裏にある表現だ。裏とは言っても、これらがなければ、表の表現もほぼ意味（価値）をなさない場合も少なくない。詩的表現は、通常の意味伝達の機能を多少犠牲にしても、何か別の要素を付与した表現だ。前衛的な絵画が何を描いているかよりも、どう描いているかが問われるのと同様に、詩的表現とは、伝達（描写）内容よりも、それ以外の要素（形式や技法とそれに伴う効果）に注力された表現だ。それを『詩学』以来、「修辞」と呼んでいるわけだが、「修辞」を単なる飾りではなく、「修辞」こそが詩的表現の本質であるとみなし、整理・分類し、作家の意図の代わりに、追究すべきものとして提示して見せたたことが、ニュークリティシズムの大きな功績だった。

結語——「文学理論」から「国語」の実践へ

ニュークリティシズムは、日本ではもはや役割が終わった理論であると考えられている。一つは、詩歌中心の国の読解法であるがゆえに、基本は詩歌の分析に適しているという点。二つ目として、日本の文学の主たる対象が、小説の読解であったこと。この二点は、ニュークリティシズムの技法が読解技術の表舞台から早々と退場せねばならなかった大きな理由となった。

だが、ニュークリティシズムは、詩歌の分析に対しても有力な手段ともなり得なかった。それは、ニュークリティシズム自体の問題というよりは、詩歌の分析にはまだまだ理論化の余地が多く、未だに作家論的あるいは印象批評の範疇の中にあるためだとも言える。

この節では、ニュークリティシズムを現在の読解水準の中でどのように応用するべきなのかを考慮して概説してみた。アイロニー／シンクロ、コノテーション／ディノテーションの問題などは、現在でも大きな可能性を秘めているはずだ。だが、やはり、日常言語を詩的言語にしている原因を、要素単位で抽出するだけでは限界がある。かと言って、その変容の背景は複雑かつ複合的で、原因要素を指摘することが中心となるニュークリティシズムの手法では、それらの関係性を論じることは難しい。

ニュークリティシズムの技法は、どうしても詩的言語の技法を言い当てることがゴールになりがちである。だが、その技法を適応させることにより、どういった解釈を可能にしているのか。そして、その解釈の可能性を限定してきた歴史的、社会的要因は何か。その部分の解釈の更新は全体の解釈にどういった影響を及ぼすのか。そうした点を考えないと、単なる技術当てゲームにしかならないということだ。

一方で、日本においてこの技法は、「**分析批評**」という概念で、小学校教育を中心に普及、定着した。

限定的であるとは言え、ここまで読解の実践に応用されている理論も珍しい。分析批評の実践は、後ろのブックガイドを参照されたいが、複雑あるいは細かい描写が少なく、物語要素を抽出しやすい小学校課程の小説は、ニュークリティシズムの単純な分析がかえって適応しやすい面がある。もちろん、これは批判ではなく、あらゆる理論は適材適所であるということに過ぎない。

ただ、分析批評にせよニュークリティシズムにせよ、国語教育、文学教育等に導入される際には、なるべく専門用語の使用を控え、技術を言い当てることが自己目的とならないように気をつけるべきだろう。「理論」はあくまでも手段であり、目的はあくまでも「読み替え」とその「説得」にある。教科の中における技術の名前は、どうしてもそれを理解し記憶するという作業に、生徒や学生を追い込んでしまう。

さらに、これらの参考文献も、あたかも教義のように、正確にかつ漏れなく理解しようとするのではなく、教室という空間の中でいかに活用するかという観点でご覧いただきたい。本節で紹介した技術の内容も、あくまでも筆者の教授経験から具体的に応用可能なものとして抽出、変容させたものである。

ブックガイド

細入藤太郎『新批評』一九五八年、南雲堂不死鳥選書　別巻

小川和夫『ニュー・クリティシズム その歴史と本質』一九五九、弘文堂

小川和夫・橋口稔共編『ニュークリティシズム辞典』一九六一、研究社出版

小川和夫『ニュー・クリティシズム　本質と限界』一九七六、南雲堂

高橋正雄編『ニュークリティシズム研究』一九六三、北星堂書店

川崎寿彦『ニュークリティシズム概論』一九六四、研究社出版
フランク・レントリッキア著、村山淳彦・福士久夫訳『ニュー・クリティシズム以後の批評理論』一九九三、未来社
A・リチャーズ著、岩崎宗治訳『文芸批評の原理』一九七〇、八潮出版
W・エンプソン著、岩崎宗治訳『曖昧の七つの型』二〇〇六、岩波文庫

※ニュークリティックの手法は、文学研究の方法としてよりもむしろ、日本の国語教育に導入された「分析批評」として定着している。川崎寿彦『分析批評入門』(一九六七、至文堂)の他に、
浜上薫『「分析批評」入門「10」のものさし』一九九〇、明治図書
浜上薫『「分析批評」の授業の組み立て方』一九九二、明治図書
小西甚一『日本文藝の詩学——分析批評の試みとして』一九九八、みすず書房
石黒修『向山型「分析批評の観点別」実践事例集』二〇〇三、明治図書
椿原正和監修　東田昌樹『向山型分析批評の技術』二〇〇八、明治図書
井関義久『分析批評で「批評力」が育つ』二〇一〇、明治図書

3　深層の構造——構造主義解析

(深層)構造とはいったい何か？　たとえば、人間の見た目は様々である。見目麗しいルックスもあれば、○○なものまで様々。でも、どれも「人間」だ。では、なぜ、見た目が異なっても同じ「人間」と称

するのか……。それは同じ「構造」を有しているから、という答え方がある（もちろん、それが唯一解ではない）。たとえば、骨。見た目が違っていても、骨の形状、数、位置などはおおよそ同じである場合が多いし、心臓、肝臓、胃など、同じような機能で同じような形状の内蔵を有していることも同様である。

こうした見た目のことを「表層」、その裏に隠れているものを「深層」と言ったりするが、構造とは基本的にこの「深層」を問題にする。ただし、明らかに見えていても、見る側が、「構造」と意識しなければ（構造を見ようとする手続きをとらなければ）、見えてこない（意識の遡上に上がらない）のも「構造」の特徴である。手が二本あるとか、鼻が一つあるとか、こういうのも、たくさんの「人間」の共通点から抽出される「構造」なのである。

ここで、「構造」を説明する例示をわざと「人間」としている点を確認しておきたい。それは、多くの「人間」をサンプルとして、その共通性を抽出して「構造」と認識しているわけで、「構造」を有していないと「人間」ではないという逆の理屈は成り立たないということを確認しておきたかったからだ。理系的な意識で、「構造」を厳密に考えれば、例外を含む構造は、その構造としての考え方自体に問題があることになるが、我々がここで扱う「構造」とは、ある程度の共通性というやや緩やかな定義に基づいている。

実際、物語から「構造」を抽出した場合、その「構造」自体が、あまりにも頻繁に利用されるようになれば、作家のみならず読者すらその「構造」を意識してしまい、むしろその「構造」自体を壊して、別の型を生み出そうとしてゆくようになる。もちろん、その「構造」が受け入れられるかどうかは、読者次第であるのだが、こうして絶えず更新され続けてゆくのが文学の「構造」であるのだから、完全に例外なく抽出できる「構造」という考え方は、我々の研究には馴染まないことを忘れてはならないだろう。

「構造」とは、「表層」の裏に何かを見ようとするものによって「発見」される。
「構造」は「表層」から生み出されるが「構造」は「表層」の十分条件ではない。
文系では、複数の事象の裏にある共通性という意味でも「構造」が使われる。

「要素」と「全体」

構造抽出する際に、その最小単位を「要素」と呼ぶ。たとえば、「骨」を要素と考えれば、「骨」と呼ばれるものの構成物質（たとえばカルシウムなど）は大体似たようなもので、どの骨がどの機能を果たすかは、その構成物質からは決定出来ない。また、骨の大きさや重さには個人差があり、そういった質量が骨の機能を決定するわけではない。

骨の構成物質に共通性があるならば、人間を構成する物質を「骨」と「骨ではないもの」に二分することは可能だろう。その時、ある骨（たとえば、上から三番目のあばら骨）を定義したければ、人体を構成する要素で、骨ではないものを除き、さらに頭蓋骨ではないもの、大腿骨ではないもの、二番目の肋骨ではないものなどと繰り返してゆけば、最後に残ったものが「三番目の肋骨」である。このように比較検討を繰り返しながら「…ではないもの」を重ね、残ったものが「…である」と考える方法を、**記号の否定的定義**というが、構造にとってこの考え方は重要である。

世界（全体）＝人間（要素）＋人間ではないもの…①
人間（全体）＝骨（要素）＋皮膚（要素）＋内蔵（要素）＋それらではないもの…②
骨（全体）＝肋骨（要素）＋頭蓋骨（要素）＋胸骨（要素）＋鎖骨（要素）…③
第三肋骨（要素）＝十二の肋骨（全体）の中で…第一（要素）ではない　第二（要素）ではない　第四（要素）ではない…中略…第十二（要素）ではない…④

①は、否定的定義の中で最も正確な定義であるが実は何でも言えるので役に立たない。世界はビールとビール以外で出来ているとか、言っても確かにその通りだけど……としかならないだろう。②は、中の要素に直接「それら」と言及している時点でずるい（ラッセルの言う階層の違反）のだが、未知の要素の発見を危惧し担保するためによく使用される。③は、すべてを積極的に列挙してみたが、この方法は、日常的ではあるが記号的な方法ではない。そもそもすべてを数えあげるのはきりがない。残る④が、最も記号的な手法である。

「要素」の共通点から「全体」が出来るのか、「全体」から「要素」が抽出されているのかは、鶏と卵の関係と同じで正直どっちが先であってもどうでもいい。大切なのは「全体」と「要素」はセットとして考えるべき項目であるということ。その「全体」の中での「要素」は他の「要素」と比較しないと、その定義が出来ないということである。**記号の価値は差異性であるという**言い方をする。

「アリババと四十人の盗賊」の中に、アリババの家を発見した宿敵の盗賊の一人が、その家の扉に標（しるし）を付けて後に仲間と夜襲しようと考えたが、それに気がついた女奴隷のモルジアナの機転によって、すべての家の扉に同じような標が付けられてしまい、どれがアリババの家か分からなくなったという話がある。

これは、**記号が他との差異でしか意味を生じさせることが出来ない**ことを教えてくれる典型例だ。

すべてが同じようなデザインの家々の中で、ある扉にだけ標（＝記号）があれば、標のある家は、…でない、…でないと確認していけば、当該の家に辿り着ける。しかし、同じ標（＝記号）を有した扉が沢山あれば、当然その間の差は消滅し、記号の意味は無くなってしまう。

同じ日本人でもひらがなの字体には当然差がある。ある一個人が書くひらがなという記号の中で「ね」の価値（「ね」だと判断する理由）は「れ」ではないという差が認識可能か、「ぬ」の価値は「め」と比べ、明らかに「め」ではないと言えるか、等で決定してゆくのであって、最後の丸い部分がどの程度の大きさであるかなどで決定するわけではない。極端な話、丸い部分が潰れていたりかすれていたりしても、似た記号との差さえ認識されれば、その記号は意味をなすのである。

「福島」の定義

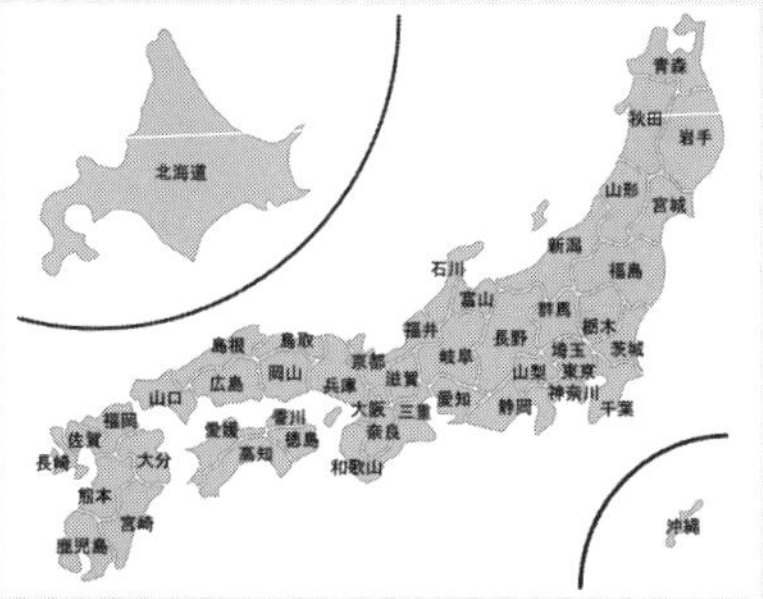

都道府県全体から要素を列挙するのは面倒

北海道＋青森＋岩手＋山形＋宮城……

前提条件なしに要素を否定列挙するのも面倒

北海道ではない＋青森ではない＋山形では……

前提条件の中で否定的に列挙する方法

東北地方の［中で、］青森、岩手、秋田、山形、宮城

［ではない…のは、］福島

「構造」を物語分析として考える

こうした構造的なアプローチが詩的言語に適応されるとき、「キャラクター」「物語」「場所（場面）」という、主として三種類の分析対象が挙げられる。

では、これまでの考え方で物語のキャラクター（登場人物）から分析してみよう。たとえば漫画「ドラえもん」の世界を「**全体**」として考え、その中の人物たちを「**要素**」として考える。そして、「**要素**」の

特徴を示すものを属性と呼ぶ。
たとえば、ジャイアンの属性は「強さ」というものがある。この属性は、「ドラえもん」という「全体」の中での属性である。だから、当然、他の物語世界では、この「強さ」という属性は、有効に機能しなくなる。たとえば、「北斗の拳」という物語「全体」の中ではジャイアンの「強さ」という属性は機能しない（おそらく瞬殺である）。

「ドラえもん」（全体）＝ドラえもん＋のび太＋ジャイアン＋スネ夫
＋しずか＋出来杉＋ジャイ子……（要素）

このことは、逆に言えば、ジャイアンの「強さ」という属性は、「ドラえもん」という「世界」の中の関係によって構成されていることを示している。「要素」の属性は、このように、常に他の「要素」の属性との比較が根拠になる。
のび太の家庭は借家であり総資産は一〇〇〇万程度（！）であると物語にある。これを中流家庭と称するのは、まさに「一億総中流」と言われた時代との呼応であるが、その比較から考えると、物語では、ジャイアンの家庭は経済的には厳しく、スネ夫の家は裕福であるという結論が得られる。

スネ夫　←　←　のび太　←　←　ジャイアン
（上流）　　　（中流）　　　（下流）

こうした経済的関係も、物語の閉じた内部でそれぞれのキャラクターがお互いの「下流」「中流」「上流」を補完しあっているわけであり、スネ夫の「上流」という属性など、「花より男子（だんご）」という物語の「全体」に入れれば、その意味は失われるだろうし、「ジャイアン」の「下流」という属性も、「はだしのゲン」などの物語世界では意味をなさない。

しずかという女の子は、ヒロインであり「美人」であるという属性があるが、この「美人」という属性は、ジャイ子という女の子の「不美人」という属性との対である。この見た目という属性は、男性たちにはあまり存在しておらず、唯一存在しているのは出来杉というキャラクターのみである。

つまりこの世界（全体）では、女子（ヒロイン）では美醜の対立項がありながらも、男子（ヒーロー）では、醜悪という価値観はあまり機能していないことになる。のび太がヒーローになる物語でも、その根拠に「見た目」があるわけではないのに、しずかは、美人であるという属性がなければ、ヒロインという機能を示せないわけなのである。

	美 ←→ 醜	
女子	しずか	ジャイ子
男子	出来杉	のび太・スネ夫・ジャイアン

これは、物語内容にも裏打ちされていて、「ドラえもん」において、のび太は、そもそもジャイ子との結婚という未来があったものの、それをドラえもんの努力によって、しずかとの結婚という未来に変えてゆくという物語なのである。さらに、物語中にしばしば散見されるしずかの入浴とのび太の遭遇のエピ

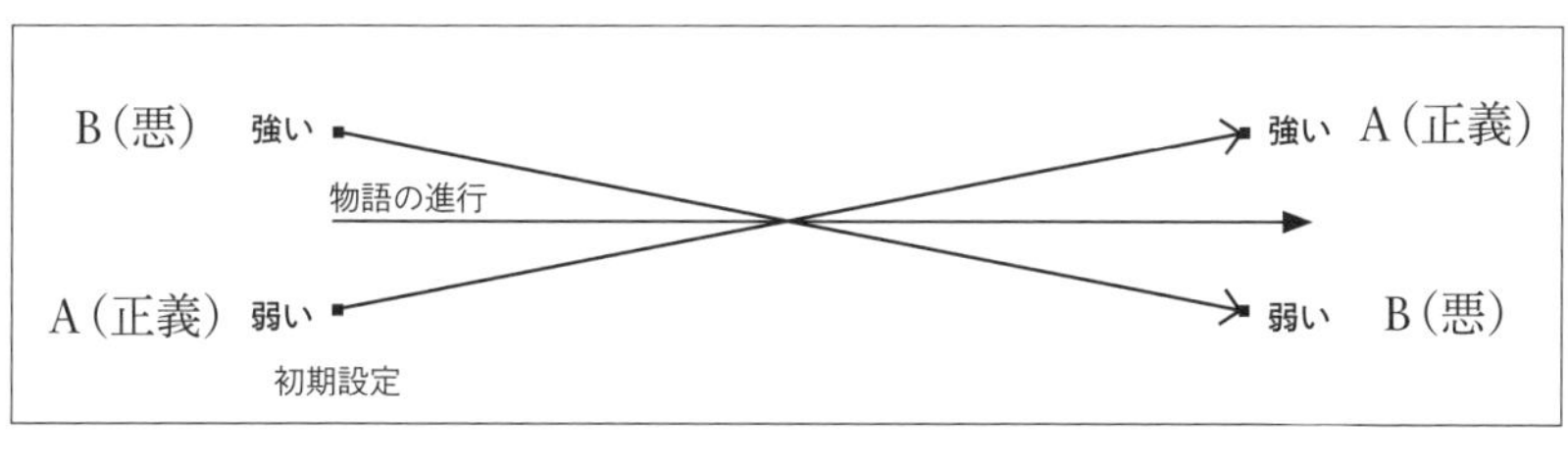

ソードなどは、しずかの性的位置を定期的に読者に思い出させている、とまで言ったら言い過ぎだろうか……（実際、最近のドラえもんを実写にしたパロディのCMでも、しずかのお風呂好きという属性は活かされている）。

こうやってキャラクター（要素）の属性は、物語世界（全体）の中で、キャラクター同士の関係性によって決定されてゆくことになる。「弱い」に裏打ちされない「強い」という属性が説得力を持ちにくいように、逆に「強い」に裏打ちされない「弱い」も構造としては破綻していることになる。

実際の物語では、キャラクターは変化してゆくことが多いので、属性とは物語スタート時のものを静的に捉えることから始まる。実際、多くの物語は、最初の方にキャラクターの属性を説明することに紙幅（または時間）を割くし、一方で読者（受容者）は、物語世界に入り込むために、キャラクターの属性を把握することに集中していることが多いはずである。

上図のようなパターンを「勧善懲悪」とか「成長譚」となどと呼ぶが、我々は物語からキャラクターの属性の変化を楽しもうとしていることが多いことが分かる。しかしながら、純文学のようなエンターテイメント性が弱いジャンルでは、キャラクターの属性が変化しないことも多いし、キャラクター属性には最初から矛盾する設定がなされていることも少なくない。

たとえば、「強い」と「弱い」という属性は共存することも出来る。初期設定での戦闘能力が低く「弱い」としても、継続する努力（修行など）に対する耐性はと考えることが出来る。

「強い」ものを持っていて、結果的には、ライバルに勝つという場合など、相矛盾する属性を有していると考えることが出来る。

さらに、属性の変化よりも、属性そのものを説明することに主眼がある物語もある。簡単に言えば、そのキャラクターの魅力を示そうとする物語だ。本来人間の属性など他人から見た一方的な把握に過ぎない。それは、それぞれの関係性からのみ見た一面に過ぎない。だからこそ、先の矛盾も含めて、キャラクターの複雑で多様な面を追究することが「リアル」であるという発想が生まれてくる。こうした個々人の特殊な深みのようなものを追究する物語には、要素比較の結果としてキャラクター属性を考えるという方法は向かない。キャラクター分析も、方法であるからには、対象に向き不向きがあることは、当然了解しておく必要があるだろう。

また属性は多く設定すればするほど読者（受容者）に伝わりにくくなる傾向があるので、基本的には必要最小限に抑えるものである。さらに、属性ははっきり明示してしまうと、読者にとっては押しつけられたものになってしまう。そこで、行動等によって、読者が自ら感じ取るように示すことが普通だ。しかし、逆に考えれば、そういった属性に不自然に見えるものが、明示的に書き込まれている場合、我々は注意せねばならない。たとえば、「走れメロス」におけるメロスには「のんき」という属性が、わざわざ書き込まれている。この属性は、一見不必要に見えるが、物語中盤、明らかに間に合うと考えたメロスが歌を歌いながらゆっくりと歩いてしまうという判断が、終盤に、とにかく何かを信じて「走る」ことしか出来ない状況に自身を追い込む伏線となっていたりする。「のんき」でなければ、親友の命がかかっている約束に対して最初から急ぐのが普通だろう。つまり、メロスは「のんき」でないと終盤に走らないのだ。

要素の特徴（個性）は属性によって決まる。
属性は、要素同士の比較によって生まれる。
属性は明示（語る）よりも、暗示（感じ取らせる）ことの方が説得力を持つ。
不自然な明示的属性は、要注意。

物語の構造

次に、物語（筋）を分析の対象にしてみよう。物語を「全体」として考えれば、物語を構成する「要素」は、究極的に以下の三つの構造に還元できる。この最小単位を話原型と名付けよう。

物語（全体）＝ する型（動作型） ＋ なる型（変化型） ＋ である型（状況型）

する型とは「A」が……する、という形。のび太が未来を変える話、メロスが友人を助ける話など動作による把握である。**なる型**とは、「A」が……になる、という**変化**に主眼をおいた形。のび太がしずかの夫になる話とか、メロスが勇者になる話とかである。今見たように、この両者は、同じ話から還元可能である。

「メロスが約束を守る話」と「メロスが勇者になる話」は、当然矛盾しない。しかしながら、物語全体をどう還元するかは、細部をどう把握するかに繫がるので、結果的に読み方を大きく変えることになる。全体として「約束」に主眼があると見れば、王よりも親友セリヌンティウスとの物語が注目され、内部の物語要素もそのベクトル（方向性）に沿って把握される。「勇者」に主眼をおけば、メロスの短絡的な面や「のんき」である属性はあまり重要視されず、宿敵である王との関係が読み込まれるかもしれない。

さらに、この「A」が重要である。**我々は通常この「A」を主人公と考える癖がある。**しかし、その読み方は間違ってはいないが、一面的でもある。「走れメロス」は「王が善良になる話」**（なる型）**とか「セリヌンティウスが待つ物語」**（する型）**とも読める。「A」に主人公とおぼしきキャラクター以外を入れて考えてみることは、読み替えのための第一歩となると言えるだろう。

以上のように、**物語には主として「…する」という動作型と「…になる」という変化型がある**のだが、この両者はエンターテイメント的な把握であるとも言える。純文学などを見てみると、ある状況をひたすら描写するだけという物語も少なくない。この描写の対象がキャラクターであれば、先のような属性を説明することに主眼がある物語となるし、それが（それを通じて）社会や思想を説明しようとする物語もある。

こうした物語は、「ある社会は…である」とか「Aは…である」とかいう把握になる。こうした型を**「である型」＝状況型**と呼ぶ。この型ももちろん、前者の二つとも共存出来る。「走れメロス」全体を「友情とは信じることであるという話」とすることも、ころころと変化する大衆への皮肉と捉え「大衆とは盲目的であるという話」と把握することも可能だからだ。

物語（全体）　要素は三種類
①動作型　…する型
②変化型　…なる型
③状況型　…である型

物語の型

すべての物質が原子という最小単位に還元できるように、物語は先の三つの型にまで還元出来る（話原型）。しかし、物語全体を類型的に捉えようとすると、その全体像は小さな物語の集積で出来ている。「走れメロス」も、ラストシーンのメロスとセリヌンティウスが話し合う場面（告白）や、冒頭のメロスがシラクスの街の異変に気がつく場面（事件）、メロスが疲れ果てて眠りに落ちそうになる場面（諦め）など様々な物語のパーツで出来ている。

こうした物語を構成するパーツが物語全体に果たす役割を、V・プロップは物語の「機能」と呼んだが、ここでは同じものを「話素」と呼ぶことにしたい。プロップはロシア各地に伝わる昔話を調査の対象にしたのだが、同じジャンルの物語には、似たような「話素」が多く指摘出来る。逆に言えば、ジャンルらしさとは、同じような「話素」の集積によってつくられている面がある。

たとえば、「走れメロス」を英雄譚（ヒーローモノ）というジャンルに位置付けて考えてみると、このジャンルにはヒーローが解決すべき状況に直面したり（事件）、一度挫けたり破れたりしたヒーローが何かをきっかけに復活する（諦め↓挫折↓復活）などという話素を有している場合が多い。

　前述したように、人（全体）から骨（要素）を抽出した場合、その骨（要素）は、他の人間にも当てはまる（有している）場合が多いのと同じで、ある物語から抽出した話素（要素）は、同じジャンル内では共有される場合が多い。だが、恋愛モノ、刑事モノ、推理モノといったようなジャンルが、国や地域によって内実を異とするように、ジャンルには一定の地域性がある。国によって、「刑事」や「恋愛」の様相が異なるためだ。

　だが、こういったジャンルを越えて広域な範囲で指摘し得る物語の型もある。たとえば、捨て子など出生の不確かな子供が、最後には実はすばらしい血統を有していたことが明らかになる物語などを「貴種流離譚」と呼ぶ。これはジャンルには依存しない型であり、かつ話素と比べてやや大きな流れを有する型である。こういうものを「話型」と呼び、有名な話型には「○○譚」といったような名前が付けられている。たとえば、先述したような、最後には正義が悪をやっつける話を「勧善懲悪譚」、主人公（主として少年）が様々な困難を乗り越えて大人となってゆくような話を「成長譚（ビルディング・ストーリー）」、主人公（主として少女）が何者かの助けを借りて、権力者などに見出される話を「シンデレラ・ストーリー（成功譚）」と呼ぶ。

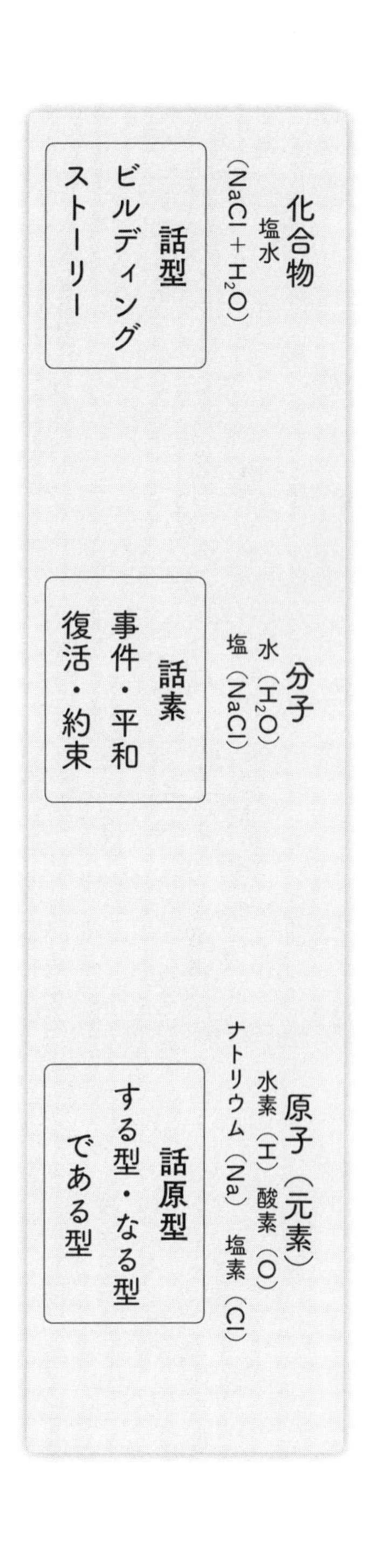

水素、酸素などの最小単位を「原子」と呼ぶのに呼応して、物語の基本三要素（動作型・変化型・状況型）を「話原型」と名付け、水素と酸素がくっついて水となるようなものを「分子」と呼ぶのに呼応して「話素」、そして最も大きな物語の型を「話型」と比喩的な関連で整理してみた。

話素は、基本的に、話原型の型を具体的にしたものである。「事件」になる、「平和」である、「復活」するといった形をとる。言うまでもなく、話素はいくらでも生み出すことが可能であり、「復活」するという話素を持つ話型は多い。話型とは、ある話素の集合体であるが、話型の抽出のためには、沢山の物語のサンプルが必要になる。それらの物語を出来るだけ簡潔な話素にまで還元し、多くの物語に共通しているパーツ（話素）を選び出す。これらが、その話型を構成する話素になるわけだ。

ある物語がどの話型に属するのかという判断には、物語内のすべての話素が当てはまる必要はない。正確な指標はないが、経験上六割程度の話素を有している物語は、その話型であるように見えるはずだ。そこで、**話素**の選別の際にも、六割程度の作品に当てはまれば、とりあえず**話素**に入れることを検討してもよいだろう。

話型には、既に収集され分析され命名されたものがある。貴種流離譚や成長譚などに新しい研究成果を生み出すのは難しいかもしれない。しかし、実際には、型をジャンルと考えると、同じジャンルでも、国や地域、時代（時期）によって随分異なっている面もあるし、また媒体（小説か、ドラマか、映画か、漫画か……）によって異なることもある。

たとえば、刑事ものというジャンルの**話素**を考えてみれば良い。「追走する」「取調べをする」「聞き込みをする」「張り込みをする」「推理する」など色々な**話素**が抽出可能である。

映画の時代劇では、血の描写等も平気で行われるが、テレビの中ではそういったシーンはあまり見られないし、基本峰打ち（斬るのではなく刀の背で叩いて気絶させている）であることを示すために、刀を半回転させる描写が映し出されたりする。

そこで、あまり先行論のないジャンルの作品を分析するのならば、まずそのジャンルの型を定義することは大切だ。ジャンルを考えるには、**内容ジャンル**（学園モノ、刑事モノ、医療モノ…）に加えて**形式ジャンル**（小説、テレビドラマ、マンガ、映画……）を考え、さらに**解釈共同体（受容する共同体）**も絞って考えた方がいい。たとえば、「日本のテレビドラマの刑事ものの型」といった感じだ。また、ジャンルの歴史上大きな転換点が見られる場合は、「日本の一九八〇年代以前のテレビドラマにおける刑事モノの型」といったように、歴史的スパンを限定することもある。

そこから出来るだけ多くの作品を集め、**話素**を抽出していきながら、六割程度の作品に見られる共通話素を探す。この積み重ねが、**話型**をつくってゆくのである。こうした型があってこそ、はじめて分析対象となる物語が、それまでの歴史の何をうまく取り入れながらも何を更新し得たのか、といった歴史性の一端が見えてくる。また、作品分析自体には大した収穫が得られなかったとしても、話型を考える基礎を提示した研究的価値は、研究史の中ではそれなりに大きいことも少なくない。

話型（普遍性の高い型）　話素（話型を構築する要素）　話原型
- 行為
- 変化
- 状況

新しい話型の発見はその適応範囲を狭めて考える
- 内容ジャンル　解釈共同体
- 形式ジャンル

要素を支えるもの――「関係性」の諸相

要素抽出は、全体をどの様に定義するかによって抽出可能な要素も異なってくる。一つの物語を全体とすれば、先述したように、その中でキャラクターを要素抽出することが可能だ。作者を全体とした場合、その作者の作品すべてが全体となり、その作者がよく使用するキャラクター要素を抽出することが出来る。もっと広げて、あるジャンルに属する物語群を対象とすれば、そこから抽出される要素は、ジャンルを特徴付けるものであることになる。

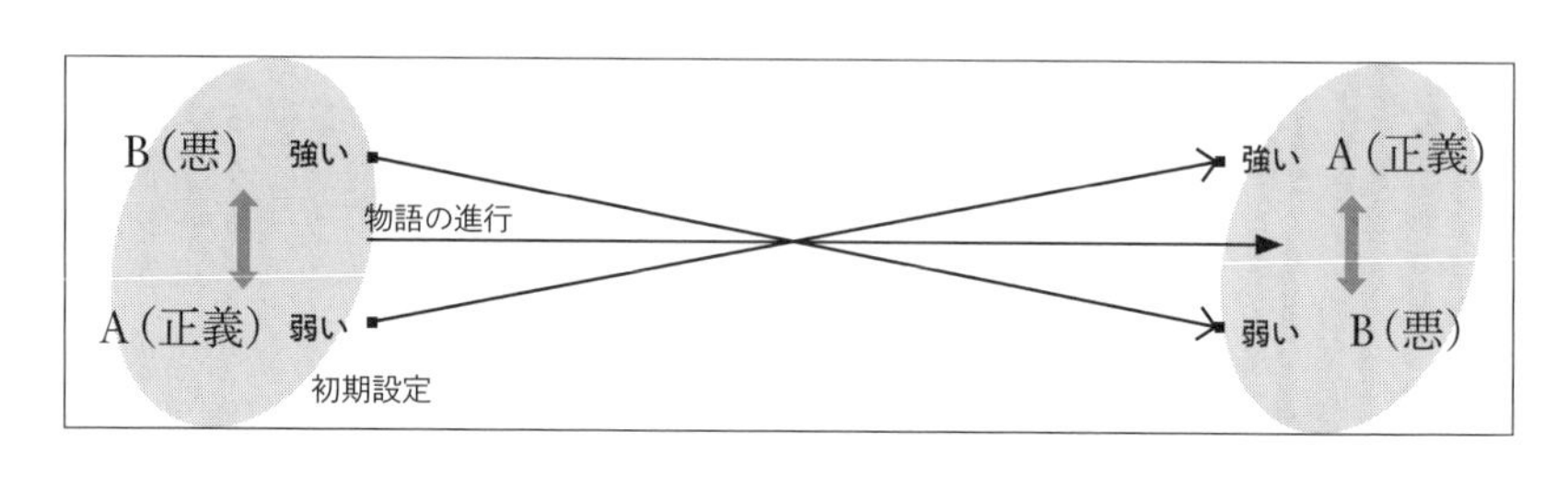

そうして抽出された要素間の総体が「構造」となるわけである。要素の定義は、要素自身にあるのではなく、要素同士の関係性にあると前述したが、その関係性とは具体的に何を指すのだろうか。

男に対して女というような関係を相反関係、男同士のような関係を相同関係と呼ぶ。たとえば、しずかとジャイ子は、性的には相同関係であるが、容姿は相反関係である。構造分析とは、複雑に見える表層を支える深層構造を明らかにするものだが、その構造の最小単位とでも言うべき要素を要素たらしめているのは、関係性である。構造的に考える際に、この関係性は、「同じ」か「反対」かという実にシンプルな二元論に還元される。

一見、要素の集合体が「全体」であるように見えるが、それらの要素は他の要素との関係性の結果に過ぎない。あるキャラクターが「男」であるという属性は、まず性別という関係性があってはじめて生じるものであり、属性がない要素はあり得ないのと同様、関係性があってはじめて要素が成り立つのである。

しかし、こうした構造は静的であり、つまり時間軸を有していない。構造は関係性の総体であるため、関係性（時間）の変化を考えにくいという欠点がある。要素間の関係を考えるにはその要素自体の変化を考慮しない、つまり時間を止めて考える必要があるからだ（つまり、閉じられた「ドラえもん」の世界では、ジャイ子が大人になった時に前田敦子になるかもしれないという可能性を考慮できない）。

先にも提示したこの図で考えると、時間軸を考えない構造抽出は「初期設定」における**相反関係**しか指摘し得ない。物語のある一点の時間で輪切りにしたようなイメージである。それに対して、時間軸に沿って横に見てみたらどうだろう。すると、Aが強くなる物語とともにBが弱くなる物語が抽出される（前に示した方の図のようになる）。そもそも両者の「強さ」「弱さ」の属性は、お互いの**関係性**からくるものなので両者の変化は当然反対のベクトルを示すのである。

二者間の関係が「**相同**」「**相反**」であるならば、その両者の変化は、お互いが同じ方向を向くか、逆に向いてゆくかの違いである。この場合のように正反対の方向に動いてゆく両者の関係を「**共反**」関係、同じ方向に動いているなら「**共変**」関係と言う。よく少年ジャンプなどで連載される成長物語（ビルディングストーリー）で、主人公とともに強くなってゆくキャラクターなどは、主人公と「**共変**」関係にあると言えるし、途中まで切磋琢磨していたライバルが物語途中から戦いには参加せずに、ただその行く末を見守るような位置になった場合などは、両者の関係性が消滅あるいは変化したのだと考えられる。


要素とは、関係性の結果現れるものである。

関係性には、相同（相似）と相反（相違）がある。

関係性が要素に属性を与える。

構造は静的（無時間・休止時間）が多いが、時間を考慮すると共反や共変などの関係性が考えられる。

何からどのように要素抽出するか——場所・場面

キャラクターや物語の型以外にも構造抽出は可能だ。どこか別空間に出掛けて戻って来るような話型を「異界譚」と呼ぶが、このような構造性を有している。

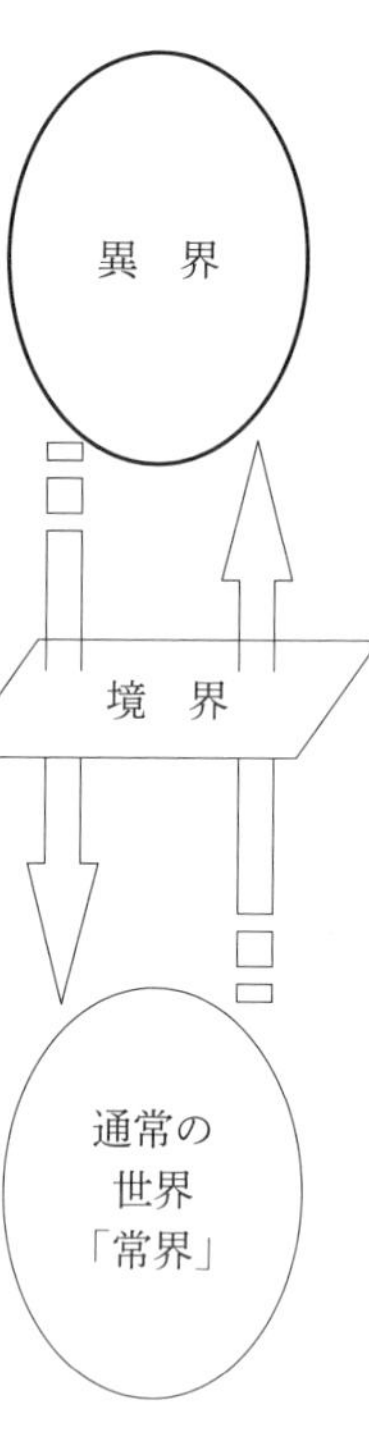

構造抽出は、様々な表層の裏にある共通点を見出そうとするものなので、時代劇『水戸黄門』、アニメ映画『千と千尋の神隠し』、テレビドラマ『トリック』など一見全く異なる表層の裏にある共通点を見出す。

「**境界**」とは、異界の入口（出口）のような機能を果たし、川のような具体的な場所であったり、風が吹いてくるといったような現象であったりする。宮崎駿の映画『千と千尋の神隠し』などではトンネルが異界の出入り口になっている。大林信彦の映画『転校生』では、主人公の男女が神社の境内の階段でもつれ合って転げ落ちるシーンが、両者の性をひっくり返してしまうきっかけとなっており、同じシーンによって元に戻る。こうした場合、神社の境内という場所も階段から転げ落ちる場面も**境界**として機能していることになる。この**境界**とは単なる境目を示すというわけではない。物語は、**境界**上で展開されることも多く、比喩的に言えば、二つの世界のせめぎ合いの場であるとも言えるわけだ。

　そして、物語は、「**異界**」での様々な経験を経て「**常界**」へと戻る。この時、二つの世界の特徴は、お互いの世界との違いによって成立する。異界で空が飛べるのは、常界で空が飛べないからこそ特徴となる。一方、異界で会話が可能なことは、常界でも可能なことなので、特に異界の特徴であると意識されることはない。物語の場所の特徴も、こうした比較（**関係性**）によって生じるのだ。

　また、場所の定義（範囲）を広げ、**場面**（シーン）と考えて物語全体の中で、特定の**場面**（シーン）の機能（役割）を考えることも可能だ。出来事や場所は様々に異なっていても、常界の出来事を学園生活で一括し、それを異界での様々な闘いなどと対置する物語、あるいは本筋とは関係ないのに毎週のドラマで繰り返される定番のネタなどは、その例だ。舞台装置を大きく変更しなければならない演劇などは、場所と**場面**（シーン）を重ねて考えることが可能だが、毎週繰り返されるドラマなどは場所よりも**場面**（シーン）として把握した方が捉えやすいだろう。たとえば、テレビの時代劇で毎週繰り返される悪人退治のシーンは、悪人たちや場所の違いはあるが、同じ**場面**（シーン）として一括することも出来る。同様に、ＲＰＧにおいてパーティー同士で敵と戦う時も、それまでの移動の時とは異なった形式の**場面**（シーン）に変化するはずだ。しかし、戦闘の内実が異なっていても、戦闘**場面**（シーン）としては一括出来る。

　『羅生門』における下人は、不景気な世の中のあおりをくらって失職しているわけだが、今後の人生を迷っている。それは、法や道徳の支配する世界の中、その価値観（犯罪も自死も罪であるという意識）を守りながら飢え死にしてゆくのか。それとも、それらの価値を超越した弱肉強食の世界で盗人として生きるのかという究極の二者択一である。下人がその決断を出しかねて悩んでいる場所である羅生門とは、法や秩序で守られた世界（平安京）と、そういった力が及ばない外部との**境界**なのである。

法・宗教
与えられた「**倫理**」

境界

自分の「**論理**」の世界
自分の判断

囲まれた部分を平安京だとすれば、点線の道が「朱雀大路」である。〇の部分に「羅生門」があるのだが、平安京の政治的、権威的象徴である大内裏（濃い部分）からは最も遠い所にある。その意味では、平安京は、法と宗教による倫理によって規定された世界の象徴であり、羅生門は、平安京的な世界からの「出口」である。

そもそも、盗みをしてはならない、盗みをするとどうなってしまうのかという法や倫理（この世界では仏教的倫理）は、外部から与えられた価値観である（人間は自然に法や倫理を覚えるわけではない）。だが、その外部からの価値観自体を疑わなければ、何かを判断する場合は、常にその価値観を根拠として考えることが出来る。

一方で、もしこの価値観を認められないならば、その外部世界に飛び出してゆかねばならない。しかしながら、外部とは、既存の価値観（内部における価値観）が通じない場所であり、そこでは自ら規定した論理（ルール）に従って状況判断してゆかねばならない。

ここで「**倫理**」と「**論理**」という言葉を使用したのは、言葉の響きとしてゴロが合ったからであり、当然違う用語を使うことも想定され得る。だが、要素間を比較するとき、**言葉に韻のようなものを顧慮すると構造整理という観点では美しいものになりやすい**。ここでは、判断の際に既に参照項として存在しているものを「**倫理**」、自分で生み出す必要があるものを「**論理**」と呼んで、両者を対立項として設定した。

いずれにせよ、こうした境界において下人は判断を迷っていることになる。下人が羅生門を離れる時、どちらの方向へ行くのか……。「下人の行方は誰も知らない」という有名なエンディングは、実は初出時のものではない。あの小説の初出（『帝国文学』一九一五年一一月）のエンディングは、以下の通りであった。

下人は、既に、雨を冒して、京都の町へ強盗を働きに急ぎつつあつた。

そう、当初のバージョンにおいて、下人は外部に出ていったのである。その意味で下人は、与えられた「倫理」を捨て去り、自らの「論理」に則って「生きる」ことを選択したのである。

異界は多くの場合常界との相反によって成り立っている。常界で不可能なことが異界では可能であるとか、またはその逆の場合であるとか、両世界が互いにその個性を補完しあっているという点では、キャラクターの構造の場合と同じなのである。

多くの物語は、異界（あるいは境界）への移動によって、キャラクターも変容する。テレビドラマ『トリック』では、常界（都会）では弱い立場の仲間由紀恵が、異界（田舎）では強い発言力をもったり、常界では論理的で勇気に満ちあふれているような阿部寛が、異界では超常現象を怖がったりすることなどがこれに相当する。

①「全体」と「要素」はセットになって初めて意味を持つ。
②「全体」の想定には、物語単体、作家、ジャンルの三種類がある。
③「構造」とは「要素」間同士の関係の総体である。
④「構造」には、キャラクターの構造と物語の構造、場面・場所の構造がある。
⑤キャラクターの関係性には「相同」「相反」「共反」「共変」関係がある。
⑥物語の要素には、「話型」「話素」「話原型」がある。

以上、構造分析の理論を解説してみた。構造解析の強みは、必ずしも文字媒体に特化したものではないことにあろう。ドラマや映画といった動画媒体や漫画などの図像媒体にも応用出来る。構造解析は、表層では見えない仕組み（構造）を単純化することによって、抽出する方法なのだが、常に対象はそんな単純ではないという批判を受けやすい。

だが、やはり重要なのは、何の為の単純化なのかということなのだ。つまり、結果としての読解に価値が見いだせるのであれば、単純化した意義もはばからずに主張出来るというわけだ。たとえば、あるマイナーなキャラクターが物語に果たしている機能などを分析することにより、物語を別の形に読み替えて見せたり、ある読み方に抑圧されていた別の価値を発見したりするなど、構造解析の手法を使って、最後に何を見出すのかが大切になってくる。

また、生徒には馴染み深いサブカルチャーの物語が、一見馴染みにくく感じる教科書の物語と同じ構造を有しているという「発見」は、生徒の学習意欲を掻き立てるきっかけになるかもしれない。あるいは、グループ学習などにより、新たなジャンルの分析の基礎的研究に資する「話型」を見出すことが出来るかもしれない。

ブックガイド

R・バルト著、花輪光訳『物語の構造分析』一九七九、みすず書房
V・プロップ著、北岡誠司・福田美智代訳『昔話の形態学』一九八七、水声社
A・J・グレマス著、田島宏・鳥居正文訳『構造意味論——方法の探究』一九八八、紀伊國屋書店
R・ヤーコブソン他著、花輪光訳『詩の記号学のために——シャルル・ボードレールの詩篇「猫たち」を巡って』二〇〇六、水声社
G・デュメジル著、松村一男訳『神々の構造』一九八七、国文社
M・エリアーデ著、堀一郎訳『永遠回帰の神話』一九六三、未来社
M・エリアーデ著、岡三郎訳『神話と夢想と秘儀』一九九二、国文社
F・ソシュール著、町田健訳『新訳　一般言語学講義』二〇一六、研究社
丸山圭三郎『ソシュールを読む』二〇一二、講談社学術文庫
高田明典『物語構造分析の理論と技法』二〇一〇、大学教育出版
『知った気でいるあなたのための構造主義方法論入門』一九九八、夏目書房

内田樹『寝ながら学べる構造主義』二〇〇二、文春新書
橋爪大三郎『はじめての構造主義』一九八八、講談社現代新書

4　表層分析と深層の間に――ナラトロジー

「語り手」という概念規定

「語り手」とは、簡単に言えば「桃太郎」などの出だしで「昔、昔、あるところに…」と語りはじめて「めでたしめでたし」と閉じるような物語内容を語っているキャラクターのことである。それって、「作者」なんじゃないの？　と思うかもしれないが、それは長い間、国語教育の小説の時間において「……における作者の気持ち」を考えさせる問題を解かされてきた弊害なのだ。

たとえば、政治家であれば、その発言の真意を問われ、その内容についての責任を負わされることは、当然である。発言内容に関する責任は発言者にある。しかし、実はこうした感覚は、我々が国語教育で培ってしまった「常識」を前提としている。言語とは発信者の意図を受信者のもとへ正確に伝達出来る、透明な記号（媒介）であるという考え方である。言語が電気を伝える導線のように、意図を相手に正確に伝えるのならば、伝わった内容の責任が発信者にあることは疑いようがないだろう。

だが、言語哲学的に考えれば、言語はその発声（記述）段階で、本来指し示しているものから「劣化」（または変化）を伴っている。たとえば、「美しい」という語は、それを使用する人間ですら、今感じている感動をそのまま切り取っているとは思えない。さらに、それが相手に伝わった途端に、異なる「美し

さ」になってしまうことだって容易に想像がつく。だからこそ、人は何とか正確に伝えようと言葉を紡ぎ続ける。こうして出来上がったものが詩歌や物語といった「文学」であるとすら言える。

だから、**文学研究の世界では、言葉という記号の透明性を疑う位置からスタートすることを常識としている。**つまり、言葉は発信者の意図を越えて、様々なメッセージを伝達してしまうことを前提としているのである。

「馬鹿」という言葉が、悪意に伝わるのか、単なるふざけた軽口なのかは、前後の文脈や、発信者と受信者の関係性によって決まる。両者の関係性を見誤れば、発信者は軽口のつもりでも、受信者は深刻な悪口ととることはあり得る。言葉には、メッセージをいつでもそのまま伝達してくれるような透明性などはないのである。

ならば、こうした言葉を積み重ねて創られる物語は、多様な解釈を生み出してしまう方が当然であり、そのすべてを作者がコントロール出来るわけではない。読者によって発見される解釈は、作者によっては全くの想定外であることも多いわけで、その想定外な解釈のすべてを「作者」の「意図」とされ、何らかの道義的責任を問われるのならば、人は恐ろしくて物語など生み出せない。

さらに発信者の立場から考えれば、最初にある特定の意図があって、それを作品が具現化しているという発想こそ、多くの場合実は逆なのである。作家の中にある特定の意図（世界の平和や究極の愛の形など）が浮かび上がり、それを伝えるために物語が生み出され、我々は正しい読解によってその「意図」に辿り着けるという発想。これこそが、国語教育の中で生み出されたもう一つの誤解である。

国語も学科目の一つであり成績評価を与える必要上、答えが限定されている必要がある。そのためには、評論や説明文と同様、文学の中に確固たる作家の意図（正解）と、そこに至る正しいプロセス（過程）が必要であり、我々はその過程を正しく辿ることを「正解」への方法として学んできた。その積み重ねが、物語の正しい解釈は一つであるという誤解を固着させてきたのである。

しかし、多くの場合作者は、曖昧な概念を創作活動によって具現化してゆくのであり、どんな形で具現化されてゆくのか最初から分かっているわけではない。批判を恐れず断言すれば、最初からどんなものが出来上がるのか分かっているものを、わざわざつくり上げたいと思う人間は、作家になんてなろうとしない。

「愛」をテーマに物語を生み出そうとしたとしても、それがどんな「愛」になるかは、作者にとってすら、物語が終わった後にしか分かり得ない。さらに、作者には分かったと思えた「愛」でさえも、読者によっては、違った「愛」として伝わる可能性がある。さらに、「愛」をめぐる価値観や「愛」の内実も、時代や社会によって異なるだろうから、時代や社会を越えた物語は、ますます多様に読まれざるを得ない。

一方、どんな読解になるのかは、必ずしも読者の読解力によるわけでもない。確かに、作者の気がつかない矛盾を指摘し得る読者は多く存在するし、作者は読者の自由な読み方を完全にコントロール出来るわけではない。しかし、成績優秀な読者だって学校という場から一歩外に出れば、物語をどう読もうが、特定の読み方だけに正解があるようなルールに支配されることはない。むしろ、物語に「正解」を強いるのは、学校という閉鎖空間であったとさえ言える。

そういった意味で、文学研究では、物語から作者の「意図」へ辿る読解を避けるために、**「語り手」**という概念を生み出した。実在の作者は確かに物語を書いてはいるのだが、読み手の立場からすれば、物語を進行させているのは**語り手**というキャラクターである。実在の作者がどんな思想の持ち主であっても、作品ごとに違う思想をもって物語を進めることは可能であるし、そもそも一人の人間が長期にわたって同じ思想を持ち続けていると考えることの方に無理がある。**語り手**とは、時間が止められ思想が固定化された、いわばねつ造された作者像から自由になるために考え出された概念なのである。

語り手は、実在の作家から自由であるのだから、性別、年齢、性格、などが実在の作者のそれと異なっていても当然構わない。ある罪を背負った人間に罰を与えた語り手の思想は、その罪をにくむ作者のそれであると考えることは、根拠を持たない。大切なのは、**今読んでいる物語に限って、どういった語り手が物語を進行させているのかそしてどういう手法や技法で物語を支配しているのかを、考えることである。**

（ア）実体的な漱石

（イ）「我が輩は猫である」を語る語り手
（ウ）「坊っちゃん」を語る語り手
（エ）「満韓ところどころ」を語る語り手
（オ）「こころ」を語る語り手
（カ）「明暗」を語る語り手

※（ア）～（カ）までをすべて別人（別人格）と考え、統一した人格設定を読み込もうとしない。

「顕在的語り手」と「潜在的語り手」

こうして話を始めるとなると、君はまず最初に、僕がどこで生まれたとか、どんなみっともない子ども時代を送ったかとか、僕が生まれる前に両親が何をしていたかとか、その手のデイヴィッド・カッパフィールド的なしょうもないあれこれを知りたがるかも知れない。でもはっきり言ってね、その手の話をする気になれないんだよ。

（J・D・サリンジャー、村上春樹訳『ライ麦畑でつかまえて』）

こんな出だしで始まる物語。ここで物語を語るのは「僕」と名乗る人物（キャラクター）である。この場合、物語の中にはっきりとキャラクターが確認出来るので、「**顕在化した語り手**」と呼ぶ。

禅智内供の鼻と云えば、池の尾で知らない者はない。長さは五六寸あって上唇の上から顋の下まで下っている。形は元も先も同じように太い。云わば細長い腸詰のような物が、ぶらりと顔のまん中からぶら下っているのである。

（芥川龍之介『鼻』）

逆にこんな場合。一人称を全く使わないこの語り手は、当然物語の中にも現れることはない。こうした場合を「**潜在化した語り手**」と呼ぶ。語り手は、一つの物語に一人というわけではなく、複数の語り手を設定した物語も少なくない。

もっとも、大事な問題は、語り手が顕在か潜在かの確定自体にあるわけではなく、どちらの場合でも、その語り手がどんな位置から、どのように語っているのかということである。

①「語り手」という概念は、作品ごとに異なる主体を生み出すためのものだ。
②「作者」はどうしても統一した内面を持つ唯一の主体に繋がってしまう。
③「語り手」は単数の場合もあれば、複数いる場合も考えられる。
④「語り手」は顕在化している場合と潜在化している場合がある。

語りの位置

「語りの位置」とは、どの時間（時代）から、誰が、どのように語っているかを考えることである。たとえば、「僕」が過去の「僕」を語る場合、いつの時点から語っているのか、その時点で語り手はどのような境遇（状況）にあり、どんな考え方を持っているのか。このことは、読解にとって非常に重要な問題なのである。

語り手が語っている時点を物語上から逆算してみることを**「語りの現在」**を見つけるというのだが、この「語りの現在」を抽出する作業においては、〇〇年〜〇〇年とか、少なくとも〇年より後などと、きっちりとした答が出ない場合も多い。ただ、初出の年月は、確定されているわけだから、たとえば、二〇〇〇年に出された小説ならば、語りの現在は、普通二〇〇〇年より後にはならないとは言える。

語りの現在の確定以外にも、物語の刊行された年月は考慮される。DNA鑑定が一般化される前と後の小説では犯人を限定出来る根拠が異なるように、物語の設定は生み出された時代の想像力や常識に大きく依存している。モニターを使ってアクセスする現在のコンピューターシステムが一般化する前のＳＦ上で、紙テープ上のデータをアナライザーが解析するようなコミュニケーションを、現在の見地から笑うことは、研究として考えた場合、あまり意味はない。

語りの現在というと一つの点のようなイメージを想像しがちであるが、明確なスパン（長さ）が推測出来るケースもある。ヘッセの『少年の日の思い出』などの場合、客人が夕方から語り出した少年時の話は、最後闇の中で終わる設定になっているが、この暗闇は、客人によって語られる内容が偶然闇の中に終わるのみではなく、その内容を語っている時間が結果的に闇の時間（深夜）に到達したと見ることが出来る。つまり、語りの現在のスパンの存在が明確な場合、物語内容と語りの現在を含む時間軸が、二重になっているのである（ケースＢ）。ただ、実際問題として、物語を語るには一定の実時間が必要なのは間違いないが、そのスパンが明確に推測できない場合、さほど実際に語る際に消費される時間の長さの確定に拘泥する必要はない（ケースＡ）。

ケースA
「語りの現在」の長さ（スパン）が問題にならないケース

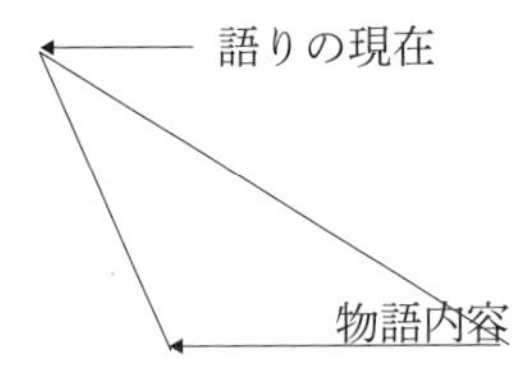

ケースB
「語りの現在」の長さ（スパン）が問題であるケース

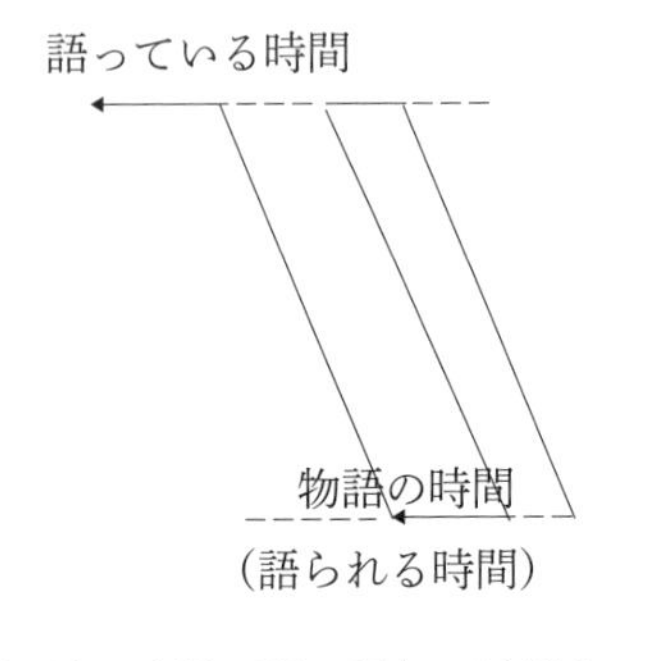

物語の時間の間は語りの時間を描くことは出来ない

事後的な語りと現在進行的な語り

さらに語りの現在が、物語内容の外にあって、そこから振り返って語られている（事後的な語り＝ケースA）なのか、物語内容の現在と語っている現在が一緒の（現在進行的な語り＝ケースB）なのかの区別は重要である。事後的であれば、語られた内容に対して何らかの距離感をもって語られているケースなどが想定されその内実が問題になるだろうし、現在進行であるのならば、語り手像の抽出にはもっと別の手続きが必要になる。さらに、最初は事後的な語りであったはずなのに、最後には現在進行形になっていることもあり、こんなケースでは、語りの現在の始点が物語内容の時間軸のどこかに位置していて、語られ

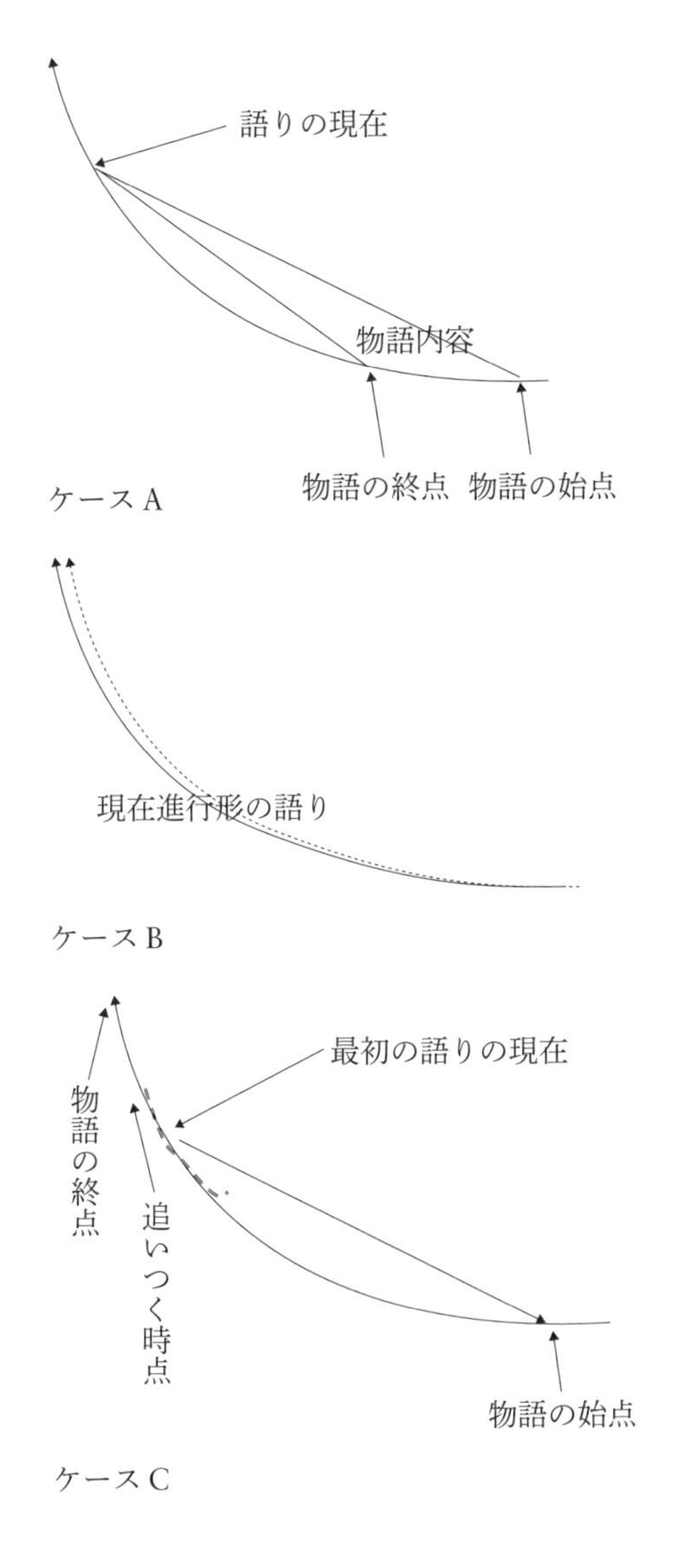

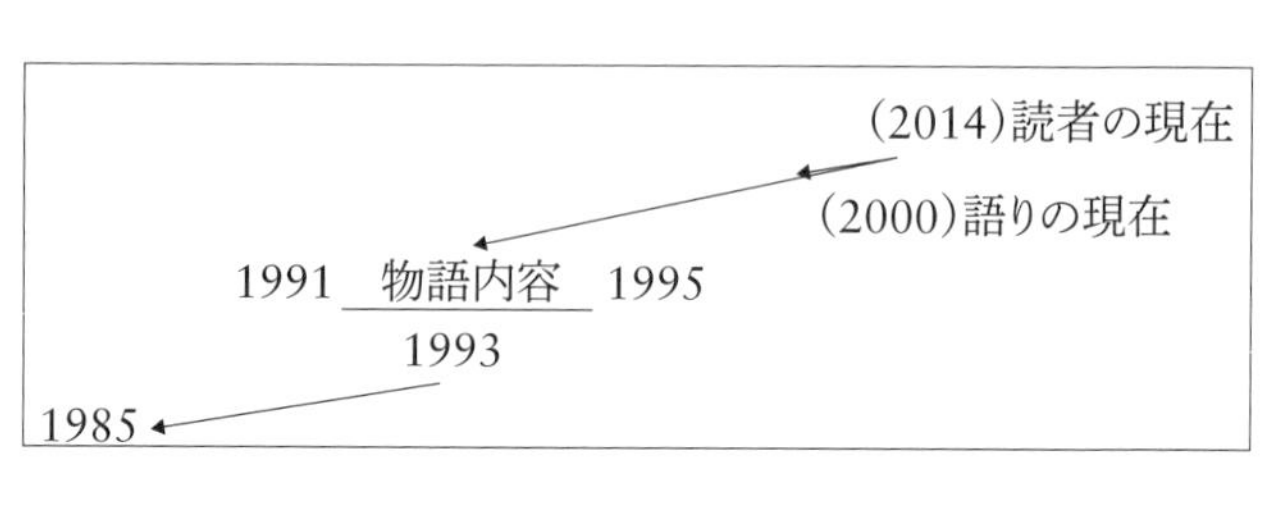

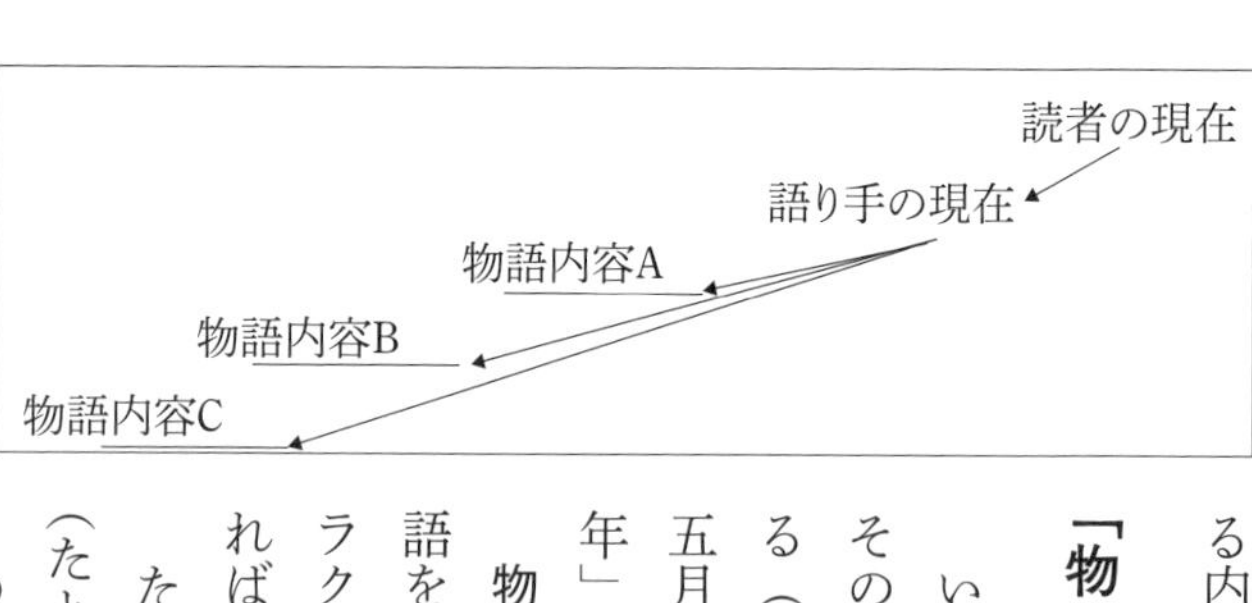

る内容が追いついたのだと考えられる（ケースC）。

「物語内容」の時間

いずれにせよ、こうして「語りの現在」が確定されると、次にその「現在」からどのようなスパンで物語が語られるのかを考える（**物語内容のスパン**）。たとえば、語りの現在が「二〇一三年五月」だとして、そこで語られる内容が「一九五〇年～一九八九年」までに相当するという感じである。

物語内容のスパンも、厳密に考える必要がある場合と主たる物語を考慮すればよい場合がある。物語内容に引用（物語上のキャラクターが読む手紙や新聞記事など）がある場合、それを考慮すれば物語内容の時間はさらに遡ることになる。

たとえば、読者が物語を読む時（読者の現在）が実際の現在（たとえば二〇一四年）、物語の中の語り手が語っている時（＝語りの現在）が、二〇〇〇年であると推測され、物語の内容は一九九一年から一九九五年までの五年間と思われる場合、上のような図になる。この時、物語中の一九九三年に読まれる手紙の内容が、一九八五年の出来事であったとしよう。

右図のような時、一九八五年の内容を、物語内容に入れるかどうかは、解釈者の「手紙」の内容に対する考え方次第である。物語全体において手紙の内容が重要であるという判断であれば、物語内容は一九八五年～一九九五年の一〇年間に、そうでなければ、一九九一年～一九九五年の五年間になる。

　また、親子孫と三代にわたる壮大なストーリーが展開される物語などの場合、前ページの下段の図のような整理がなされる場合もあるだろう。もちろん、A～Cの物語は時間のスパンが重なる場合も、それぞれの間に空白の時間がある場合もあり得る。

　ちなみに、論の目的によって、**「読者の現在」**を考慮すべき場合とそうでない場合がある。たとえば、未来を設定している小説でなければ、語りの現在より読者の現在は、時代が下ってゆくと考えられる。物語内容にテロの描写を含むものであれば、読者の現在が二〇〇〇年なのか二〇〇二年なのか、つまり二〇〇一年の九月一一日以前か以後かでは、大きく解釈の前提が異なることがある。

① 語り手の〇〇を分析しよう（位置／視点／時間）。
② 語り手の「位置」を分析しよう。

語り手がどのような位置からどのようなスパンで物語を語っているか考えよう。

・語りの現在（語り手が語っている地点）を物語上から逆算する。
　（語りの現在のスパンを推測できる場合もある）
・事後的な語りか、現在進行的な語りか…①語り手が物語内容の外にいて振り返って語られるのか、②物語内容の現在と語りの現在が同じなのか、③途中で語りの現在に物語内容が追いつくのか。
・「物語内容」の時間を考える…語りの現在からどのようなスパンで物語が語られるか。

視点人物と視点位置

語り手と語られるもの（描写されるもの）との関係を考えてみることも重要である。カメラのレンズでは、ある人物に焦点（ピント）を合わせたら、他は相対的にぼやけてくる。文字も同様にある人物のことを叙述している最中に、他の人物を同時進行で描写することは原理的には不可能である。あるキャラクターや物事を描写している時、その対象に「焦点化」していると言う。

まずは、**焦点化**の距離や角度という着眼点。

ある日の暮方の事である。一人の下人が、羅生門の下で雨やみを待っていた。
広い門の下には、この男のほかに誰もいない。ただ、所々丹塗の剥げた、大きな円柱に、蟋蟀が一匹とまっている。羅生門が、朱雀大路にある以上は、この男のほかにも、雨やみをする市女笠や揉烏帽子が、もう二三人はありそうなものである。それが、この男のほかには誰もいない。

この「羅生門」の出だしで下人が孤独に雨やみを待っている場所が羅生門であることを示すためには、ある程度の羅生門の全景と下人が両方見える位置まで視点の位置が遠景化する必要がある。あまりに、下人に近づけば、下人の居る位置が羅生門であることを示せないからだ。

次の「広い門の下」という描写からも、巨大な門を遠景から描写していることが伺われるのだが、次の文章の「蟋蟀（きりぎりす）」や「円柱」の部分的に剥落した「丹塗り」を描写するには、視点位置が一気に対象に近づく必要がある。

ところが、次の、雨止みする人物が他に誰も居ないことを示す「市女笠」や「揉烏帽子」といった描写は、明らかに上方から見下ろす視点を有している。こうした視点の移動は、まさに近代文学の特徴であり、特に写真や映画といったテクノロジーの進歩は、こうした視点位置や描写に対して常に大きな影響を与えている。

こうした描写から何を読むべきかは、ケースバイケースだが、たとえば、ここでわざわざ拡大された「蟋蟀」は後で時間経過を示す伏線として利用されているし、丹塗りの「赤」と蟋蟀の「黒」（この時代のきりぎりすはコオロギ）とのコントラストがこの物語全体の基調となっていることを思えば、遠景→接景→遠景となっていることの効果は大きい。

Wikipedia: Miniature Model of Rajomon.jpg をもとに作成。
(https://ja.m.wikipedia.org/wiki/%E3%83%95%E3%82%A1%E3%82%A4%E3%83%AB:Miniature_Model_of_Rajomon.jpg)

> その代りまた鴉がどこからか、たくさん集って来た。昼間見ると、その鴉が何羽となく輪を描いて、高い鴟尾のまわりを啼きながら、飛びまわっている。ことに門の上の空が、夕焼けであかくなる時には、それが胡麻をまいたようにはっきり見えた。鴉は、勿論、門の上にある死人の肉を、啄みに来るのである。

この「鴉」が集まって来るシーンは、当時羅生門が死体置き場になってしまっていることの伏線として機能するわけだが、「鴟尾」の周りを鴉が飛ぶという描写は、実は上図のような位置から見上げないと成立しない。

つまり、これは下人の視点から見える景色を想定したシーンなのである。こうした描写している視線を有する人物を**視点人物**と呼ぶ。この語り手は、下人の視点を借用して世界を眺めているというわけだ。ただし、「視点」という言い方は、映像のみを提供するという誤解を生じさせやすいことには注意が必要だ。語り手は実際には、映像だけではなく、音、臭い、触覚など多くの情報を読者に提供している。

人間に**焦点化**する場合、その人物の行動のみを描写する「**外的焦点化**」と、その心情までを描写する「**内的焦点化**」がある。「羅生門」の場合、物語中に下人の心情はしっかり描かれており、**内的**に**焦点化**していると言える。しかし、老婆の心情は一切描かれておらず、下人から見た老婆の様子が描かれるのみである。つまり、老婆には**外的**にしか**焦点化**されていないことになる。

と言うことは、老婆の姿とは、下人越しに見た様子であるのだから、その見え方に下人の心情が影響するのはむしろ当然であり、視点人物である下人がすべてを客観的に見る立場にあるわけではない（むしろ、すべてを客観的に見る立場とは、かなりリアリティに欠ける姿ではないだろうか）。

　すると、老婆は、見開いていた眼を、一層大きくして、じっとその下人の顔を見守った。まぶたの赤くなった、肉食鳥のような、鋭い眼で見たのである。それから、皺で、ほとんど、鼻と一つになった唇を、何か物でも噛んでいるように動かした。細い喉で、尖った喉仏の動いているのが見える。その時、その喉から、鴉の啼くような声が、喘ぎ喘ぎ、下人の耳へ伝わって来た。
「この髪を抜いてな、この髪を抜いてな、鬘（かずら）にしようと思うたのじゃ。」
　下人は、老婆の答が存外、平凡なのに失望した。そうして失望すると同時に、また前の憎悪が、冷やかな侮蔑と一しょに、心の中へはいって来た。すると、その気色が、先方へも通じたのであろう。老婆は、片手に、まだ死骸の頭から奪った長い抜け毛を持ったなり、蟇(ひき)のつぶやくような声で、口ごもりながら、こんな事を云った。

この老婆は、当初「猿」のようだと描かれていたが、引用部では徐々に「肉食鳥」「鴉(からす)」「蟇」と変化してゆく。この過程は、下人にとって恐れ畏怖する対象であった老婆が徐々に自分の意思ですべてをコントロールすることが可能な対象と認識されてゆくのと対応している。つまり、下人にとっての対象の見え方は、下人の対象に対する考え方と無関係ではないのである。

このような、見え方がそれを見ている人間の感情の影響下にあり必ずしもフラット(客観的)ではないという着眼点は大切で、それは当然ながら不可視な語り手の描写(=「潜在化した語り手」)にだって現れる。つまり、語り手は常に何かしらの価値観を有して世界を眺めている。

語り手からの距離感

先にも述べたように、焦点化には、そのキャラクターの行動のみを描写する**外的焦点化**と、その心情まで描写する**内的焦点化**がある。一般的に、多くのキャラクターに対し自由に内的焦点化する語り手は、「神の視点」と呼ばれ、「僕」が、物語中の「僕」以外の心情に言及しないストイックな語り手などに比べ、描写のリアリティが落ちると言われる。

一般的な傾向では、自由に**内的焦点化**することが可能な語り手の方が、その語りに対する信憑性(リアリティ)が落ちる(なぜ何もかも知っているのだという疑問が生じる)が、物語が理解しやすくなるので、児童文学やポップカルチャーなど大衆の理解を必要とするものは、多くこの形式を使う。一方、多くの日本近代文学の一人称小説などは、焦点化を限定することによって、数々の制限の中で物語を進行せねばならない代わりに、その信憑性(リアリティ)を担保してきたと言われる。もちろん、実際のリアリティは、語り手の焦点化以外にも多くの要素が絡んでくるので、一概に文学小説の方がリアリティの度合いが高いとは言えない。

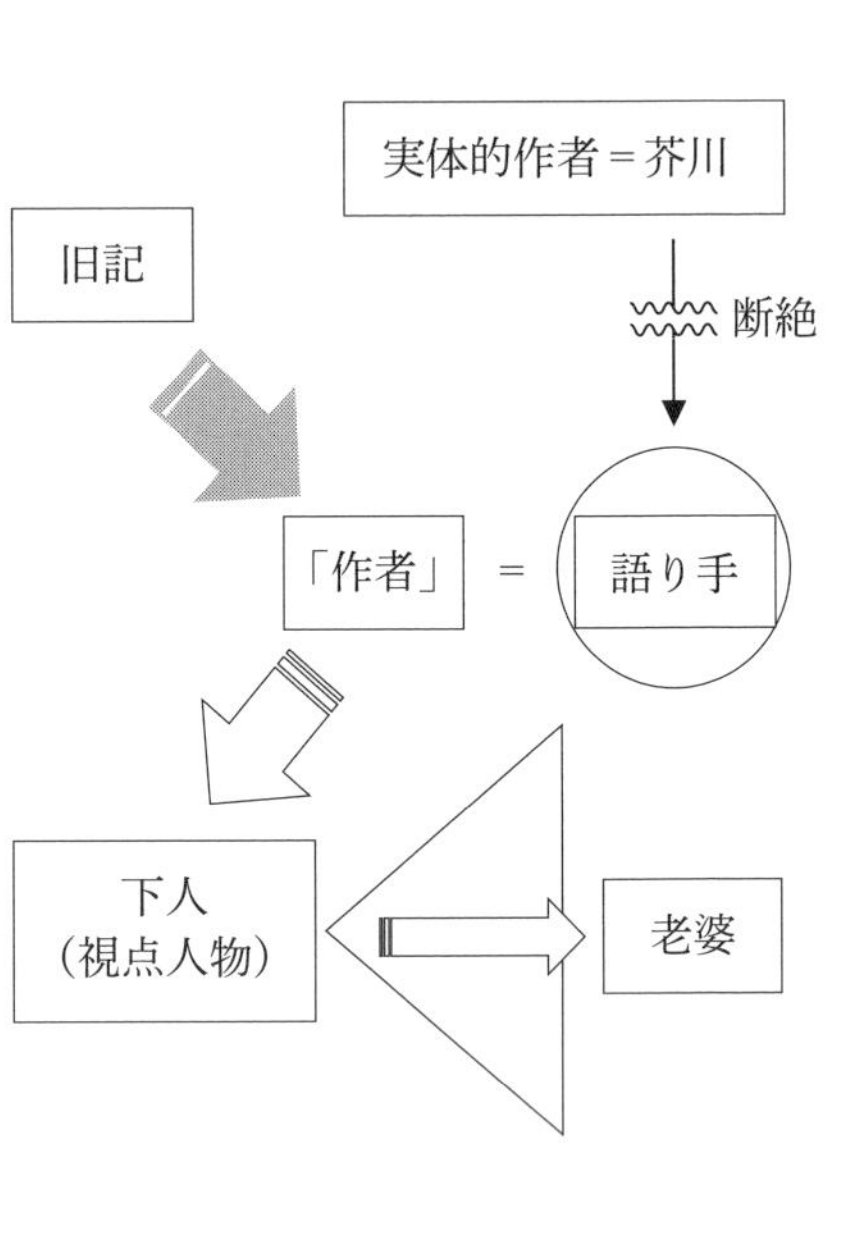

だが、近代文学（中でも純文学と言われるもの）の多くは、このリアリティに拘っていることも事実だ。「羅生門」でも、語り手は、自ら「作者」と名乗っているし、「…と書いた」とか「…と書くよりは…と書いた方が」などといった表現が現れ、「作者」と名乗る顕在的な語り手が「書いている」という設定になっている。と言うことは、我々読者は、「読んでいる」という自覚をもって話に対峙すべきで、少なくとも読んでいることを忘れる読者の没入感を語り手が定期的に妨げていることは間違いない。

だが、この語り手は、自らの書いている内容の根拠を「旧記」という外部のテクストに委ねている。さらにそのテクストの引用をしてみせるなどして、外部テクストを暗示しているのだ。当時のある程度教養のある読者であったなら、この出典が『今昔物語集』二九巻「羅城門」と三一巻「売魚」であることはすぐに分かるだろう。もし、分からないとしても、なんとなく紹介されている引用テクストを調べてみた結果、実際に存在するテクストであるということが分かると、驚きとともに、語り手が語っている（書いている）話の信憑性(リアリティ)を一気に引き上げる効果がある。

読者に嘘のような根拠を提示しておくことにより、それを調べた読者の信頼を得るという手法は、実はさほど珍しいわけではない。しかし、「羅生門」におけるこの語り手の戦略は実に興味深い。

さて、言うまでもなく、「羅生門」でなくとも、この語り手と他のキャラクターとの関係性は非常に重要である。たとえば、AとBというそれぞれの人物に焦点化しているとき、語り手によるAとBへの評価が異なることがある。さらにカメラと異なり文字の場合、その描写は客観的なそれを逸脱した評価を含むことも少なくない。

●●はおろかにも、○○したのだ

●●が、「○○した」というのは客観的描写であったとしても、それを「おろか」と評価するのは、語り手の価値観である。基本的に「読書」とは、そうした語り手の価値観を疑わずに読み進めてゆくものではあるが、研究において我々は語り手の客観性や価値観を一度は疑ってみる必要がある。ある種の正義をめぐって、Aの行動（考え方）よりもBの行動（考え方）にシンパシーがある語り手が物語を支配していると、一度は理解した上で読むことは、物語を客観的に見るのに重要な視座である。

なぜならば、読者はそうした語り手の価値観とは異なった価値観を有している場合も少なくないからである。男性寄りの思想を有した語り手の価値判断が、女性の読者から見て違和感を拭えない場合も少なくないし、そこを物語の限界、またはその物語を生み出した時代の限界と規定するジェンダー批評には一定の意義がある。

語り手がキャラクターの心情に客観的に寄り添っていると思われる場合、先述したニュークリティシズムの考え方に則れば、そのキャラクターに「**シンクロ**」していると言い、ある種の距離感が感じられる場合、「**アイロニー**」が生じていることになる。

「**シンクロ**」や「**アイロニー**」は、「同情」や「反発」などを通じて、語り手以外のキャラクター同士にも生じるが、それ以上に、読者と語り手の間に生じるそれが重要なのである。なぜなら、**語り手をキャラクターとして意識しなければ、物語中に透明な存在としてある語り手を可視化することさえ出来ず、その内容を全面的に信用せざるを得ない**からだ。

もちろん、語り手自体もキャラクターであるのだから、語り手の価値判断にも、意識的なものと同様に無意識的なそれもあり得るわけだが、特にその両者を明確に分ける必要もない。ただ注意すべきなのは、そうした価値観を評価する以前に、どのような技法でどのような読み方へ読者を導こうとしているのか、ということを能う限り客観的に見出さなくてはならないことである。

語り手の視点操作を分析しよう
↓語り手がどのような技法で読者を読みに導いているか？
↓語り手が物語にかけているフィルターを見つけよう。

焦点化
↓誰に内的焦点化（行動＋心情）／外的焦点化（行動）しているか？
↓視点人物（どのキャラクターの視点を借りて描写しているのか？）

どう焦点化しているか？
↓シンクロ／アイロニー（すり寄っているかいないか？）

描写と介入度

語り手が物語の発生するゼロ地点なのか、それとも、語り手を抽出して物語世界を生み出す読者こそがゼロ地点なのかは、明確には決められない。だが、一般に「語り手」を生じさせてしまった読者は、語り手の向こう側にある種の「現実」を想定しているような理解をするのではないか。

「現実」→語り手→加工→読者

もちろん、厳密に言えば、この「現実」は本来は語り手以前に存在していたものではない。だが、こういう想定を前提としないと、描写が上手いとか下手であるという議論が生じないのではないか。描写の巧拙を素朴に問うならば、その基準は描写されるものと描写の比較によってなされるだろうからだ。

文学において、「鉤括弧」で括られた台詞文は、その発話者の発話をそのまま引用してきたものであると考える。つまり、現実をそのまま真似(ミメーシス)しているわけで、現実と描写の間の距離感はゼロに近い。

「わしだって平和を望んでいるのだが。」
「なんの為の平和だ。自分の地位を守る為か。」

『走れメロス』における、前者は王、後者はメロスの発話である。ここでは、王とメロスのセリフ内容は、そのまま引用されたと読者は捉える。

だが、さきの引用の前後には、傍線部のような地の文が付いている。

暴君は落ち着いて呟き、ほっと溜息をついた。「わしだって平和を望んでいるのだが。」「なんの為の平和だ。自分の地位を守る為か。」今度はメロスが嘲笑した。

ここには、王とメロスが発言した様子が書き込まれている。この場合、傍線の部分は、「鉤括弧」のセリフ部分よりも、語り手の介入度(「現実」の翻訳)が高いと言える。王の「落ち着き」具合や、メロスの嘲笑ぶりは、あくまでも語り手によって、そのように見えたのだから。

では、同じ場面を、もしこのように書き換えたらどうなるだろうか。

暴君は、落ち着き溜息をつきながら、自らが理想とする平和について呟いた。だが、メロスは、王の平和を独善的なものと嘲笑したのだ。


こうなると、元の「現実」のミメーシスはほぼ残っておらず、完全に語り手のフィルターを通して加工された結果だけが読者に伝えられることになる。こうした語り手の加工は、文学の場合、言うまでもなく「叙述」として現れるが、このような加工の結果を「**ディエゲーシス**」と呼ぶ。

語り手は、**ミメーシス**だけで物語を創ることは出来ないので、当然ある程度の**ディエゲーシス**を混ぜ込む。だが、ディエゲーシスだけで読者の「信頼」を勝ち取ることは難しく、やはりそこには可能な範囲の「ミメーシス」を導入する。注目すべきなのは、そのバランスこそが、いわゆる小説の「型」として重要であるということだ。

言語学的な見地で見れば、**ミメーシス**はいわゆる直接話法、**ディエゲーシス**は間接話法であるが、実は以下のような言い方を、目の前の人間に直接話されると我々は違和感を覚えざるを得ないだろう。

暴君は落ち着いて呟き、ほっと溜息をついた。わしだって平和を望んでいるのだが。なんの為の平和だ。自分の地位を守る為か。今度はメロスが嘲笑した。

我々は、こうした表現の在り方「**自由間接話法**」を、小説であるからこそ「許容」しているわけであり、**自由間接話法**がどういった形で成立しているのかは、それぞれの言語、時代によって異なるのだ。無論、日本古典文学と近代文学との間にも、**自由間接話法**は明確な違いがある。

語り手の時間操作

言うまでもなく、語り手は物語内容の時間に起こった出来事をすべて語っているわけではない。そんなことは時間的にも紙幅の面でも当然不可能だ。たとえば、一〇年の出来事の中で、語られる物語の時間の長さの総体は均一の一〇年間ではないし、妙に細かく詳細に語られる出来事もあれば、簡単な描写ですまされてしまう描写もある。

語り手は、意識的無意識的に限らず、物語の時間を再構成する。物語を構成する時間は、「**長さ**」「**頻度**（回数）」「**順番**」という要素がある。

頻度の問題から考えよう。出来事としては、一回しか起こっていない事項を物語は複数語ることがある。ある事件を様々な人間の記憶で語り直す場合などはその典型である。逆に一つ一つの出来事は異なっていても、それを一括して語ってしまう場合もある。「二人は、この五年間本当に楽しい日々を過ごしてきました」などという場合、「二人」の過ごし方は日々様々であったが、それを一括して語っている。繰り返される様々なデートの日々を数回のデートの描写で描くなども同様の方法である。

時間の**長さ**や速度にも様々な描写があるが、映像と文字（文章）では速度に関する考え方が多少異なる。映像の場合、早送りやスローモーション、カットなどを使用しない限り、物語の速度と描写される速度は等しくなる（つまり視聴者の早送り等を考慮しない）。

文字の場合は、まず読者によって異なる読む速度を一度括弧にくくって考える（つまり、誰もが同じ速度で読む（読める）と考える）。**台詞文の応酬などは、実時間とほぼ同じ速度**と考えられるが、どのシーンに何文字（何頁）の長さをかけて語っているのかというのは、全体の中での割合（何パーセントの使用）で、相対的に考える必要がある。

つまり、一〇〇頁の文章で、五分のシーンが一〇頁にわたって描かれる場合Aと、五〇分のシーンが五〇頁にわたる場合Bは、全体の五〇%が割かれているBの方が、一〇%しか割かれていないAよりも、読者の印象には強く残る。しかし、物語全体の実時間の設定が一〇〇分である場合、五%の実時間が二〇%の語り量になったAと、五〇%の実時間が五〇%の語り量であるBでは、Aの方が伸張率が大きいとも言える。

実際の回数　>　描かれる回数
実際の回数　<　描かれる回数

物語内容の総時間＝100%→それぞれの内容の時間＝○○%
物語全体の量＝100%（全放映時間や総ページ数など）

実時間（100分）
○○○○○○○○○○ □□□□□□□□□■
A＝50分　　B＝5分
語られる量（100頁）→1頁1分の基準値
○○○○○○○○○○ □□□□□□■■■■
A＝50頁　　B＝20頁
圧縮率　0%　　圧縮・伸張率400%

単純に言えば、圧縮率が高いほど物語上での印象は薄くなり、伸張率が高いほど物語上での意義は深くなると考えられる。しかし、高い圧縮率のシーンが物語全体の中でどの程度の割合を占めているのか、という点を考えると一概には言えない。小説という世界の経験は、時間の感じ方がかなり特殊なのだ。

物語全体の中でどの程度の尺が使われているかは、物語を語る全体の時間（文字の場合、総文字数やペー

A（動機）→B（犯行）→C（発覚）→D（捜査）→E（推理）→F（解決）
C（発覚）→D（捜査）→E（推理）→F（解決）→
→B（犯行シーンの再現）→A（動機の自白）　本格推理小説
A（動機）→B（犯行）→C（発覚）→D（捜査）→E（推理）→F（解決）
コロンボ＝古畑任三郎型
C（発覚）→D（捜査）→E（推理）→E2（動機の調査）
→A（動機）→B（犯行）　松本清張などの社会派推理小説

ジ数）で決定されるので、最後は読者の解釈で決定されることになる。また、風景描写など物語のあらすじに関係のない描写は、物語の進行から考えれば、**速度ゼロ**という考え方もあるが、一方でその描写に割いた紙幅量に重要な意味がある場合も少なくない。

たとえば、あるヒーローもので、変身シーンが一七分の全体尺で毎週一分割かれているとして、それは全体の物語内容を分析する上では意味のない尺であるが、物語がおもちゃ会社とタイアップしており、変身グッズを売るという経済的側面を視野に入れた考え方の中では、この尺の長さは非常に重要である。

やや細かいことを言えば、五年の物語内容を語る総時間は必ずしも五年とは言えない。実際に描かれているシーンの長さの総体で考えないと意味がない場合も多い。五年の中に主たるシーンが三つあり、それぞれの間に一年と三年の空白があれば、物語内容の総時間は一年間である。五年の物語でも物語内容の総時間が一週間に満たないことだって少なくない。こうした場合その**語られていない空白の期間をどのように読者に感じさせているのかを考慮すべき場合もある。**

最後に順序である。出来事はそれが起こった順番に語られるとは限らない。

「メロスは激怒した。」

とは、『走れメロス』の有名な出だしだが、この文は途中で再び同じ文章が現れることによって、初めて意味が明らかになる。つまり、最初は意味の分からない出来事として読者に提示されているのである。推理小説でも、時間の順序としては最初に起こったはずの犯行シーンは、トリックを明かす時、つまりは物語の最後に語られるし、逆にコロンボや古畑任三郎のように、最初に語られることによって、物語の主眼を犯人探しから、犯人が追いつめられる過程を楽しむものに変化したケースもある。

松本清張などに代表される社会派と言われる推理小説の場合、トリックと犯人は物語の中盤でほぼ特定されている。問題は、犯人を犯行に導いた原因（動機）であり、それは多くの場合、私利私欲である以上に、もっと大きな社会的問題に接続され、その時代へ警鐘を促すものとなる。このように物語を語る順番は、何を主眼に物語を構築するかという点に密接な関係があるし、物語が属するジャンルなどとの関係も無視出来ない。お茶の間の多くの時代劇などは、一定の物語の順番（話型）をもっていることが多いし、『水戸黄門』や『遠山の金さん』などのように、むしろその型が、その物語らしさを構築していることもあるからだ。

語り手の時間操作を分析しよう

① 時間の順序

時間の語られる順番（プロット）／出来事の起こる順番（ストーリー）

↓プロットは一つしかないが、ストーリーは読んだ人の数だけある。

↓ストーリーは読み手の解釈により生み出される。

② 時間の長さ

圧縮している場合／伸張している場合

③ 時間の頻度

少なく語っている場合／多く語っている場合

↓それぞれどのような効果を狙った操作なのか？

語り手と読者の共犯

広大な砂漠の真ん中でカメラを構えたまま三六〇度回って撮った映像。この映像を観た観客は、砂漠の中には誰もいないと解釈するだろう。もちろん、本当はカメラマンも居るし、映り込まないように配慮された場所には他のスタッフも居たかもしれない。もちろん、観客はそのことを知らないのではない。その場面から誰も居ないとみなす**リテラシー**を習得しているのだ。

芸術は現実の反映であっても現実そのものではない。だから、現実と異なることだって沢山ある。ミュージカルでなぜ感情の高ぶりが歌い出すことに繋がるのだろう。人形劇で後ろに見える操作している人物は、なぜ居ないことになっているのだろう。漫画で眉間に「💢」という記号が描かれると、怒っていると解釈できるのはなぜだろう。こうしたズレを無視しなければ、その世界に没入することは難しい。我々は、それぞれの芸術に没入するために、その芸術の約束事（現実との違いを含めて）を理解している。もちろん、作り手側だって、そのルールに則って制作する。こうした、芸術を生み出したり、受け取ったりする際の共通ルールを比喩的に、芸術の**リテラシー**（読み書き能力）と言う。芸術がある種の様式に則った虚構行為である以上、こうした**リテラシー**が全く存在しない芸術はないと思っていい。

なぜここで、文学における**リテラシー**の話題をとりあげたか。それは、文学の言葉を一般の言葉の理論のみでアプローチするとき、必ず文学的**リテラシー**の問題にぶつかるからだ。たとえば、『羅生門』で「下人の行方は誰も知らない」と終わる時、誰も知らないならば、語り手は、なぜこの話を語ることが出来るのか。といった質問をする生徒がたまにいるが、これは小説ではよくある形式であるので、小説の世界に向き合うときには、本来ありえないツッコミなのだ。変な比喩に聞こえるかもしれないが、ディズニーランド（虚構世界）に遊びにいく人間が、ミッキーマウスの内部にいる人間のことに言及するのは興ざめな態度のはずである。文学も一種の虚構行為である以上、メタに立ってはいけない態度があり、それに反する人間は、楽しみ方（**リテラシー**）を知らないのである。

> 下人には、もちろん、なぜ老婆が死人の髪の毛を抜くかわからなかった。したがって、合理的には、それを善悪のいずれにかたづけてよいか知らなかった。

こうした内的焦点化だって、日常言語ではあまり行われない。日常言語の中で、誰かの心の中の叫びを断定の形で述べるのは異例のことのはずだ。また、「下人」という三人称の表現であるのにも拘らず、「わからなかった」「知らなかった」の内容を、**直接話法**で表現している。

これを見ると、下人ははじめて明白にこの老婆の生死が、全然、自分の意志に支配されているということを意識した。

そうしてこの意識は、今までけわしく燃えていた憎悪の心を、いつの間にかさましてしまった。あとに残ったのは、ただ、ある仕事をして、それが円満に成就した時の、安らかな得意と満足とがあるばかりである。そこで、下人は、老婆を見下しながら、少し声を柔らげてこう言った。

過去の出来事を述べているので、語尾は完了（もしくは過去）で述べられるはずなのに、突然、下人の気持ちが断定的に語られる。小説では、過去の出来事の語尾がすべて過去や完了で統一されるわけではない。

こうした小説上の表現特徴を**自由間接話法**と呼ぶが、こうした表現がおかしいと感じないのは、近代小説のリテラシーが当然のこととして習得されているからなのだ。

文学を分析するあらゆる理論は、一般の言語理論と詩的言語の特殊性の両方を考えて適応しないと、杓子定規に詩的言語の世界の矛盾を指摘してしまい、「空想科学読本」の類と同じようなツッコミしかできなくなってしまうことに充分留意しておく必要がある。

小説のリテラシー

文学は虚構行為

① 文学的文章には、通常の文章とは異なったその受容の仕方（リテラシー）がある。（ｅｘ虚構世界への参入意思）

② 文学的文章のリテラシーは、歴史的に構築された。

③ 文学的文章のリテラシーが構築される歴史を学ぶことは重要だ。

④ 文学的文章のリテラシーを前提にした上で、「逸脱」を考えないといけない。

語り手の仕掛けるレトリック——テマティズムを例に

このように**語り手**は、物語の時間を操作し、キャラクターに様々な形で焦点化し、我々を物語に導いている。そして、我々読者との間にも、様々な形でアイロニーが構築されている（もちろん**シンクロ**も）。**語り手**に**シンクロ**して読む（語り手を疑わずに読む）のは、読書の通例であることは、先に述べた通りだが、研究（批評）として読む場合、やはり語り手との**アイロニー**をいかに構築出来るかは重要な点であろう。ただし、文学作品は一筋縄ではいかない部分も多く、たとえば語り手が通常の精神状態ではないと思われる場合などもある。こうした極端な状況までいかずとも、語りの内容に明らかな矛盾が含まれているなど、全面的に信頼出来るようには設定されていない語り手もいる。こうした**「信頼できない語り手」**

をどう考えるかは、非常に難しい問題でもあるのだが、同時に分析者の腕の見せ所でもある。

また、たとえば、「正義」を遵守する語り手の行動の極端さから、我々読者が「正義」とは何かという考えをあらためて突きつけられるケースもある。この場合、同じ「**信頼出来ない語り手**」であるとしても、先のように語られる物語内容が信頼出来ないのではなく、語り手のもつ価値観が信頼出来ない（自明ではないと気が付く）という意味で別種の問題系をはらむ。

また、**語り手**がどういう仕掛け（レトリック）で物語世界を構築し、読者を導いているのか、という分析も必要である。

ただ、ここでもそのレトリックを、**語り手**の意識的な作意（意図）と限定したり、どこまでが作者でどこからが語り手の意図なのかなどと区分したりする必要はない。よく指摘されるレトリックの一つに、物語の中に繰り返し描かれるテーマ（傾向）を抽出する読み方がある。これを**テマティズム読解**と言うが、このレトリックは元来表現者の無意識的な思考まで視野に入れた精神分析的読解である。


　その代りまた鴉がどこからか、たくさん集って来た。昼間見ると、その鴉が何羽となく輪を描いて、高い鴟尾のまわりを啼きながら、飛びまわっている。ことに門の上の空が、夕焼けであかくなる時には、それが胡麻をまいたようにはっきり見えた。鴉は、勿論、門の上にある死人の肉を、啄みに来るのである。

たとえば、右にあげた例は『羅生門』の既出のシーンだが、このシーンが興味深いのは、その視点人物の視線を借りて見ている情景が実際には*見えない*ことだ。文中での羅生門は今大雨である。つまり、今の視点人物には見えていない夕焼け空に黒い点々というコントラストの映像を、視点人物の記憶のそれとして示すことで、先に出てきた「丹塗りの柱」と「蟋蟀」という「赤」と「黒」のコントラストのイメージを引き継いでいるとも言える。このコントラストは、後に羅生門の内部で暗闇に老婆が火をともすシーンなどにも展開されるイメージである。

物語に、「赤」「黒」など決まった色、「四角」「三角」など決まった形、「上」「下」などへの移動などが頻出する場合。この頻出するイメージに共通する意味が見出されそうな場合、それがテマティズム読解の対象となるわけだが、それは表現者のコントロール（意図）を遥かに越えて現出している場合がほとんどである。もちろん、それらが偶然そのような法則を有していて、それを読解者がたまたま深読みした結果だというケースもあり得るが、そもそも「深読み」＝誤読であるかどうかを決定できるのは、非常に脆い根拠でしかない作家の意図によるものであり、読みとられたレトリックが表現者の最初から想定していた意図であるかどうかは、実はまったく問題とならない。

レトリックとは「修辞技法」という意味もあるので、表現者の意図的なそれを考えがちであるが、表現者があるジャンルに精通している場合、そのジャンルにあたりまえとなっているレトリックをそれとは知らずに習得してしまっているケースは結構多い。だから、**抽出されたレトリックが多くの読者にも説得力を持って伝わるのであれば、作者の意図の如何（いかん）にかかわらず、それはその物語のレトリックとして認定しうるところが、反作家論の便利なところだ。**

ただ、そうなると、問題はその説得力の方であり、実際にはテマティズムを抽出するよりも、その抽出したパターンに説得力のある意味を付与する方がよほど難しいのである。経験上、抽出したパターンにある程度法則性が認められるケースが全体の二割程度だとして、さらに、その中に説得力のある「意味」を説明しうることが可能なケースは一%にも満たないということを前提にした方がいい。また、安易に象徴事典の類を持ち出して意味づけするのも控えた方がいいだろう。多くの場合、同じ現象であっても、ある文化圏の象徴と別の文化圏とのそれは正反対の意味を示す場合も多いからだ。つまり、同じ色が、「生」を示す場合もあれば「死」を示す場合もあるというわけだ。

「世界観」＝設定という問題系

ただ、逆にレトリックを抽出することが出来ても、作家ではなく語り手が抽出したそれであるとは断定しにくい場合もある。たとえば、『サザエさん』の登場人物の名前にテマティズムが指摘し得るとしても、それが語り手のレトリックであるというには無理がある。サザエさんが小説であったとしても、その語り手が、名前に「海」繋がりがあることに自ら言及することはないだろう。その物語の内部にいない**潜在的な語り手**も、実はその物語の**「世界観」**の外部にいるわけではない。

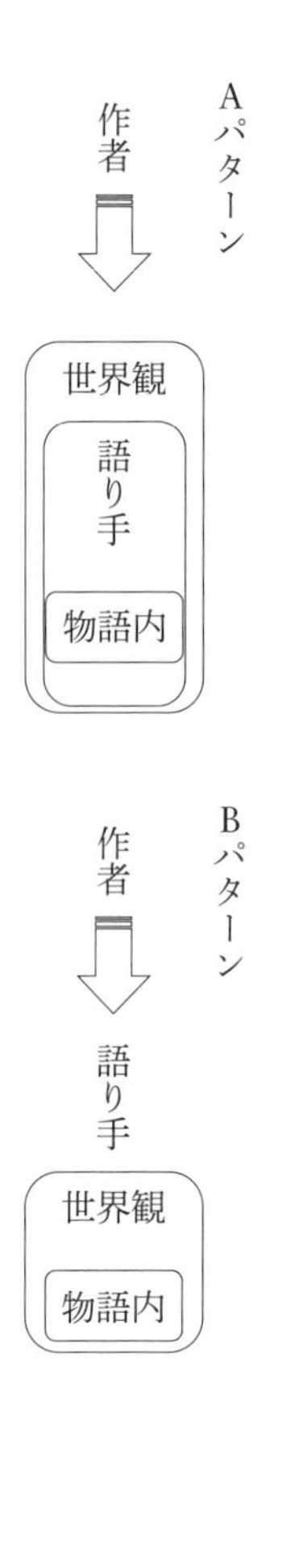

通常、語り手は物語の設定（世界観）に直接言及したり批評（批判）したりはしないので、その意味で世界観の内部にいる。この場合、世界観は作者が構築したものであり、語り手が物語内で顕在化していないのならば、Aパターンのような形になる。一方、Bパターンは、語り手が物語の世界観について積極的

に言及している場合である。

先述した『羅生門』の場合、「作者」と名乗る語り手が登場する。この「作者」は『旧記』を参考に物語を「書いて」いるので、『羅生門』という物語の世界観は、この「作者」という語り手が構築したものだと理解できる。

これらによって、「下人」は、法秩序の外に出て盗みをするか、秩序の中で死を選ぶかを、その境界世界である羅生門で悩む。まだ仏教的信仰が厚かった時代設定が、この悩みにリアリティを与えている（現代設定にしたら、死を目の前にしてまでも、盗みをせずに飢え死にするという選択肢にリアリティが薄いはずだ）。そして、結論が出ないまま、雨で移動することも出来ず、寒さをしのぎ一晩を過ごすために、羅生門の二階へと登ってゆくというストーリー展開を自然なものとしているのだ。

世界観が語り手の外であっても内であっても、読者はその設定自体を疑うことはしないのが普通である。物語の中のキャラクターに何の理由もなく「猫耳」が付いているのならば、それはそういう世界観であるとみなすしかないし、キャラクター達が修行を通して空を飛べるのであれば、人間は修行を通じて空を飛べるという世界観を受け入れるしかない。

その意味で世界観は物語世界に参入するものにとっては、何の根拠もなく与えられた条件（ルール）に過ぎない。サッカーで手を使ってはいけない根源的な理由をサッカー選手自体がプレイ中に疑問視したりしないのと同じである。しかしながら、その物語が自然に展開しているように見える（必然性があるように見える）のは、世界観（設定）がどのように上手く組まれているか次第であるとも言える。ルールと同様に世界観も、物語内では制限として働くことも多い。江戸時代という設定一つとっても、現代ものに比べ、物語に多くの制限をかける。しかし、矛盾をきたす世界観は物語世界そのものを自壊させることになりかねないし、外枠として無根拠ながらもこの設定（制限）があるからこそ、物語はその内部で必然的な展開を可能にすることが出来るとも言える。

ただし、世界観の問題をどこに帰着させるかは、研究の手法次第である。実体的な作者、または、そのジャンルの問題。さらには、そうしたジャンルの世界観を構築してきた歴史的経緯や、社会背景との関係と、世界観には見逃せない問題系への端緒がある。

語り手による「レトリック」と作品の「世界観」

① 語り手の仕掛けたレトリック
語り手がどういう仕掛け（レトリック）で物語世界を構築し、読者を導いているのか？
（作家の意図の有無は問わなくて良いが、一方で正解がないので、抽出したレトリックに、どれだけ説得力を持った意味付けができるかということが大事）

② 作者に与えられた世界観
↓作者が設定した物語を読む上でのルール。とりあえず受け入れるしかない。
↓世界観は、テクストのジャンル構築をめぐる問題と密に繋がっている。

構造から言えること——可視化のその先

構造を抽出する取り柄は、その現象を支えているしくみを可視化出来ることにある。質量、慣性、重力、速度などを考える物理学では、物質の動くしくみを引力や重力などで説明するが、こうした概念は基本的に見えないので、それを数字にすることによって可視化させている。

科学の世界では、この可視化したものの「正しさ」は、予想の正確性に依拠している。つまり、同じ条件を整えた場合、どのくらいの制度で、同じ現象が再現されるかという確率である。なぜ、この再現性が大切かといえば、基本的にこれから起こる現象を予測し制御（コントロール）することが科学の目的だからである。

社会系の学問であっても事情は同様で、基本的に不可視な構造を可視化したいのは、その可視化した構造を今後の予想や制御に活かしたいからである。ある社会で自殺が社会現象になっているのであれば、自殺に関わる様々なデータが参照され、そのデータ（要素）間の関係が考察され、そこからある種の構造モデルが抽出される。そのモデルの価値は、どの程度その自殺現象を説明できているかにあるわけで、その説明の価値は最終的には制御への有効性に依る。

だが、文学や文化研究は、現実を分析対象にしているわけではないので、その構造抽出の価値は、対象のコントロールにあるわけではない。もちろん、ある不思議な現象（複雑怪奇な物語など）の背後で、ある合理的な法則性（構造）がそれを支えているということを示すことには一定の意義があるとは思う。しかし、一つの全体が内包する構造は、実は数限りなく存在するわけで、構造Aと構造Bと構造Cの中に、唯一の正しい構造が存在するわけではない。これらすべての構造が正しいとも、（すべてを説明しきれないという意味で）誤っているとも言える。

たとえば、「鉄腕アトム」という話は、当初は戦後復興＋科学信仰（振興）、産業振興という背景もあって、日本の未来の最先端技術は地球を救うという信頼のようなものが背景にある。さらには、「アトム」

という名称からは、唯一の被爆国でありながら、原爆と原子力の結びつきという想像力が思ったよりも当時の日本人になかったようにも思われる。

しかし、高度経済成長を経由し公害問題を経験し、バブルを経由しエコロジーという問題意識を持ち始め、そして、チェルノブイリ原発事故や東日本大震災とそれにともなう原発事故を経由した我々にとって、「アトム」や「ウラン」という名前は、当時の牧歌的な想像力でかき消すことが出来ない現実を突きつけている。

もちろん、これは作家の意図がどうであったのかとかいう問題ではない。文学において構造は関数のようなものだから、作家（の意図）というものを代入すれば、そこからは全く別の答えが生じるだろう。しかし、ここで問題視しているのは、同じ物語構造に対する読者の置かれた社会（入力値）が変化すれば、全く別の答えが生じるという事実の方なのである。そのためにも、一度作家の意図という関数を括弧にいれて考えてみる必要があるのだ。

だから、ここで必要なのは、まずは読みの多様性を生み出すことが出来る構造を可視化すること。そして、その物語から導き出される結果（解釈）の諸問題を社会的、政治的、歴史的に再検討してみることである。

ある文化を生み出した主体（作者）を関数にした研究は、その作家性を明らかにすることは出来るものの、一個人に向かおうとするベクトルは、社会や歴史とは逆の方向に向かってしまうことも少なくない。

しかしながら、先行論文を検証し、これまでどういった読み方がなされてきたのかを知り、それらの読みを保証する関数を物語から抽出するだけでは、特定の現象を支える構造を指摘したに過ぎない。その際、その構造から抽出し得るのにも拘らず、従来全く指摘されてこなかった別の読み方が存在する場合、なぜそういった読み方がなされなかったか、ということが問われなくてはならない。それは、その物語を受容する人々（解釈共同体）の内実を問うことにもなるし、その共同体の社会や歴史を問うことにも繋がる。

先ず、美禰子の「われにもあらざる役者」性というのは非常にリアリティがある。しかし、それがどうして最後、「我が罪云々」になるのだろうと、そこのところで理解に苦しむのである。恋愛において女性が男性を翻弄する場合、翻弄された、と男が思っているだけとのことで、女性は翻弄したつもりではないかもしれない。だからこそ、それを「われにもあらざる役者」と漱石は捉えて美禰子を描いた。

この三枝和子による「三四郎」論の指摘（『恋愛小説の陥穽』青士社）では、漱石のみならず、それを解釈してきた文壇および研究者共同体の男性中心主義が批判の対象となっている。同様に、東京中心主義的な読み、日本中心主義的な読み、欧米至上主義的な読みなど、様々な解釈共同体の偏重を指摘することには、一定の意味があるだろう。

読み替えの面白さと政治的正しさ

こうした共同体批判は、ある意味論者自体の立ち位置を示すことにも繋がる。自分だけは、あらゆる考え方に対して「中立」であるとは言えないからだ。ある論争状態に参入するには、その歴史的経緯をひとまずは学ぶという段階があり、それが必要なことであることは言うまでもない。しかし、いつまでも「学習中」であるという態度で判断を保留することは、実は無関心であることと全く変わらない。

我々が立ち向かうべき「問題」とは、実は判断不可能であることに対しての決断であることが多い。たとえば、二酸化炭素が増えて温暖化が進んでいるのか、温暖化が進んでいるから二酸化炭素が増えているのか、この両者は決定不可能であり、どちらを推すデータも存在している。そこで、我々が「判断保留」を決め込むことは、時間的猶予の無さや、どんどん進む現状悪化を目の前にして、到底許されない。我々は、どこかで「判断」しないとならないのだ。

実際、論理的不整合や事実誤認などの学習不足で判断を誤ることもあり得るだろう。しかし、それに気がついたのであれば、自己の判断のミスを認め訂正すればよいのだ。実際にそういう繰り返しにより、判断の論理的強度を上げてゆく以外に我々に方法はない。

さらに、文系の場合、論者のＰＣ（政治的正しさ）自体が別の正しさと衝突することがある。前述したように、セクシャリティ（性）の読み方とオリエンタリズム（人種）の読み方はぶつかることも多い。

こうした時に重要なのは、その解釈の正しさよりも、実は面白さであることを、人文系の人間は忘れてはならない。たとえば、次期アメリカ大統領選挙に、初の女性か初の黒人かという議論は、正しさでは議論出来ないだろう。それは、そのテクストにおける二つの読み替えのうち、どちらの読み替えがより魅力的なのか。それによって、少なくともそのテクストを介した説得力は、どちらかに軍配が上ってしまうはずだ。二人の候補者の持つ条件（ジェンダー・オリエンタリズム）に優劣はなく、それは投票によってのみ決まる。投票結果は、どちらが正しいかということを示すのではなく、どちらが発信する物語が国民にとって魅力的だったか（面白かったか）ということに過ぎない。

その場合、対立する二つの政治的主張に決着がついたわけではない。そもそも、その両者は、同じテクストを介さなければ、対立すらしなかったかもしれないし、万が一根本的な対立を内包していたとしても、その勝敗は、そのテクストを介した際の勝敗に過ぎないとも言えるからだ。

だが、我々には、論理的に決着がつけられなくとも、決断しなくてはいけない問題が沢山あるのだ。いや、むしろそういったケースの方が多いのかもしれない。そんなとき、判断は自分でするのだとしても、その決断は皆でするしかない。多くの人々による判断とは、いかなる構造によって成り立つのか。どうやって、自分の判断を分かってもらうのか。個人的内面の追求というイメージが多い文学の研究は、再帰的にこうした社会性への接続として浮上してくるのだ。

結語――「文学理論」から「国語」の実践へ

構造解析とナラトロジーは、現在、文学を分析する上で最も基本となる技術として定着している。この両方法が本格的に文学研究の場に導入されてから三〇年以上にもなる。おそらく、既に現役の教員の多くはこうした教育を受けた世代であろうと考えられるが、その割には、国語教育の現場への影響は多くないと言わざるを得ない。また、ニュークリティックや後に詳説する受容理論に比べ、小説授業における積極的な導入に関する議論も少ない。

これらの技法を国語の授業に導入する場合、これまでの小説の授業における作者の意図や倫理的テーマの追究などとは齟齬を来すことを考えなくてはならない。また、文学（小説や詩）であることは、論理文ではないことを前提として読む必要があるという基本的な約束事も考慮する必要がある。

小説世界に没入するときには、途中からそれが小説であることを忘れてしまうような感覚に陥ることはよくある事だが、小説は目の前に居る友人があなたに話すような「文法」で語られてはいないのではないか。

一団の旅人と颯っとすれちがった瞬間、不吉な会話を小耳にはさんだ。「いまごろは、あの男も、磔にかかっているよ。」ああ、その男、その男のために私は、いまこんなに走っているのだ。その男を死なせてはならない。急げ、メロス。おくれてはならぬ。愛と誠の力を、いまこそ知らせてやるがよい。風態なんかは、どうでもいい。

最初の文章は、語り手による通常の描写、次の文章は「　」で示されるように、いわゆる直接話法である。だが、その後の傍線部の文章は、メロスの心の裡を描写している（内的焦点化）。もちろん、描写しているのは語り手だ。だからこそ、「その」男という指示語になる。だが、もしメロスの心内語をそのまま描写したのならば、メロスはセリヌンティウスのことを「その」男とは言わないはずだ。また、次の「急げ、メロス。」以下からの二重傍線部は、メロスに呼び掛けている。が、もちろん語り手は物語の外部に居るわけだから、物語の内部に居るメロスに直接声をかけるような言い方はおかしい。

こうした、いわゆる自由間接話法の表現は、通常の言い方（たとえば、目の前の人間の発話）には出現することが少ない。落語家の話や小説の中では違和感なく見えるのは、それが文学的言説であると分かっているからだ。一方で、小説が読めるようになるというのは、こうした小説独自の文法によって構築された世界への違和感が払拭されることを意味するのだ。日本の文学的文章の表現の独自性を知りたければ、ブックガイドで紹介した橋本洋介の『物語における時間と話法の比較詩学 日本語と中国語からのナラトロジー』に挑戦してみるといい。難しいかもしれないが、学べることも多いはずだ。

論理的文章は、翻訳可能性を維持する必要があるので、文学的文章に比して、言語ごとの独自性が薄い。だが、文学的文章は、論理的文章とは異なった文法体系によって出来上がっているだけではなく、それぞれの言語に合わせた形で独自に発達している。先にあげた橋本の研究などは、文学的文章のそういった側面に注目したものと考えてよい。

論理的文章が、その論理構造を押さえながら読むことが大切であるのと同様、文学的文章もその論理構造を押さえながら読んだ方が効率よく学べる。小学校の国語の時間には、こうした観点から、小説における人物像や設定の把握、気持ちやテーマの読解を学んでいるのだが、そうして学んだ過程はいつしか忘れ去られ、文学的センスなるもので読むという無根拠な感覚に陥ってしまう。

高等教育に移行するにつれ、感覚的（＝印象批評的）な読み方に陥りがちな傾向に対して、構造把握やナラトロジーの理論は、一定の指針を与えてくれるはずだ。だからこそ、こうした技法をいつ頃から教え始めるべきかということも考えるべき必要がある。

また、論理的文章の読み方は限定的であるが、文学的文章は多様に読めるという認識も、今後批判的に検討されなくてはならない。作者の意図を否定し、地の文の主体を「語り手」と考えることは、読みの可能性を広げるための手続きではあるが、一方で「語り手」の作為として論証（説得）出来ない読み方は、排除されるわけであり、読みの可能性を限定した上で議論の土台をつくるという意味もある。

構造把握やナラトロジーの理論は、どう読めるかという「正解」を導くのではなく、ある読み（複数であってもよい）が生み出されるしくみを明らかにすることが目的なのである。つまり、ある作品が、悲しみと怒りという二つの感情を発生させてしまうのであれば、どういったしくみがそうした対立する感情を生み出しているのかを考えるべきなのである。

構造的に生み出され得る読み方の中で、ある読み方が支持されてしまうのはなぜなのかという問題は、構造解析やナラトロジーだけでは明らかにできない。それは、歴史的・社会的要因を加味した読者の問題だからだ。

また、教育や日本文学の研究に応用する際は、ナラトロジーならばフランス語に、構造主義ならばロシア語に依存した理論体系である面も考慮しなければいけない。つまり、理論といっても、すべてをグローバルな普遍的理論であると受け取るのではなく、やはり日本語ならば日本語の事情を考えた上で、ある程度の「翻訳」を通して受容する必要があるということだ。

たとえば、「語り手」の概念一つとってみても、そもそも作者も作者が直接書いた本文も残っていないことが普通である日本古典文学の場合と、作者の原稿など様々な実証資料が残る近代文学の場合では、異なる受容態度が要求されるはずだ。また、文章が作者の意図を具現化したものであるという考え方が普通である小学校の国語と、読みの多様性（個性）が称揚されつつある高校の国語では、「語り手」という概念そのものの必要性が異なるはずだ。

少なくとも、教育の場では、方法上の用語（たとえば、○○法と称されるもの）を指摘させることは、目的ではなく手段に過ぎず、そうした手法が解釈の実践に接続しないと本末転倒になってしまうことには、充分留意する必要があるだろう。

だが、以上の点に留意すれば、ナラトロジーや構造解析が文学国語の授業に寄与する可能性は大いにあると思われる。また、大学のような自由度が高い文学の授業においても、小説の一部を論理の名前にあてがうと言った、適応主義に関しては充分相対化し、解釈という出口を意識した理論の適応を考えるようにしたい。

ブックガイド

ナラトロジーに関しては、G・ジュネット、花輪光・和泉涼一訳『物語のディスクール』(一九八五、水声社)、G・ジュネット、神郡悦子・和泉涼一訳『物語の詩学：続・物語のディスクール』(一九九七、水声社)が基本文献だが、多くの「ナラトロジー」というタイトルを含む解説書は、「ナラトロジー」を「物語論」という広義の意味で捉え、構造解析と一緒に説明しているものが多い。もちろん、「物語論」の内部区分を分類する必要は特にないのだが、以下の文献は広義の「物語論」を語る上で必須の文献となっている(一部既出の文献を含む)。

C・ブレモン著、阪上脩訳『物語のメッセージ』一九七五、審美文庫
R・バルト著、沢崎浩平訳『S／Z』一九七三、みすず書房
T・トドロフ著『デカメロンの文法』
A・J・グレマス著、田島宏・鳥居正文訳『構造意味論』一九八八、紀伊國屋書店
P・リクール著、久米博訳『新装版　時間と物語』〈一〉～〈三〉二〇〇四、新曜社
U・エーコ著、和田忠彦訳『小説の森散策』二〇一三、岩波文庫
G・プリンス著、遠藤健一訳『物語論の位相』一九九六、松柏社叢書
W・C・ブース著、米本弘一・渡辺克昭・服部典之訳『フィクションの修辞学』一九九一、書肆風の薔薇
橋本陽介『物語における時間と話法の比較詩学 日本語と中国語からのナラトロジー』(二〇一四、水声社)

は、難解ではあるが「自由間接話法」を本格的に学ぶことが出来る。橋本の入門書としては、『物語論 基礎と応用』二〇一七、講談社
『ナラトロジー入門――プロップからジュネットまでの物語論』二〇一四、水声社

5 読者への注目

ここまで、作者を解釈の根拠とせず、代わりに作品を精密に分析する方法を述べてきたわけだが、これまでの分析方法には共通してあまり考えられることがなかった観点が、「読者」という問題である。文系、理系問わず学問は、基本近代的な思考をベースとしてつくられているので、どうしても観察点（世界を認識する場所）の存在をなかったこと（虚焦点）にして考える傾向がある。こうした方法のルーツには、デカルトの『方法序説』（一六三七）があるのだが、この書物は、有名な割にあまりきちんと読まれていないふしがある。

デカルトは、この書を世界を認識するための「方法」の「序説」と位置づけている。デカルトによれば、世界は「分解と統合の法則」、つまり、手順通り分解したものは、その逆の手順を踏めば元の通りに再構築可能なものとして合理的に把握される。その世界を認識するために、不合理なものは世界になかったことにされてしまう。その一つが、自分自身の存在なのだ。つまり、世界を合理的に考える代わりに、合理的に考えることが出来ない自分自身を考える対象から外そうということだ。こうしたデカルトによって更新された世界観を、近代合理主義という。近代医学であれば、精神以外の身体を物質として合理的に

扱う代わりに精神の内実を問わない。近代物理学であれば、物理現象を合理的に説明する代わりに、その現象を観察する者の個別性を問わない。

こうして近代社会は、「客観世界」を手に入れた。もちろん、この「客観」は、本来対極となるべき「主観」の内実を問わないことによって成立している。しかし、もちろん、こうした世界把握に疑問をもった哲学者たちも沢山いた。その一人であるカントは、我々が主観の裡で認識していることと、客観的な事象が一致する証拠はないのではないかと考えた。いわゆる、**主客（不）一致問題**である。分かりやすく説明してみよう。

右図のようにすべての動物は、対象から送られてくる信号（センスデーター）（E・マッハ）を眼球（あるいは何かしらの身体器官）で捉えそれを神経回路に乗せて、脳で映像化する。この時、脳の構造や、神経回路のしくみ、眼球の構造は、動物の種類によって異なるはずだ。それは、解剖してみれば分かる。その上で、この図のように各動物があるものを見つめている状態を考えてみてほしい。

この時に、各動物の脳中には、様々な映像が喚起されているはずだ。神経回路等がほぼ同型である動物同士ならば、喚起される映像もさほど違いがないだろう。しかし、各動物がそれぞれの映像を見ているのだとしたら、すべての動物が見る前の「?」は、どういった映像なのだろうか。

人間同士ならば、コミュニケーションによって、お互いの脳の情報をある程度すり合わせることも可能だが、他の動物には、そこまでの複雑なコミュニケーションは難しい。

さらに、人間同士であっても、全く同じものを見ているとは、限らない。たとえば、「赤い」という信号（情報）が眼球に届くと、赤の神経線によって運ばれ、「青い」信号を受け取ると、青の線によって脳に届くとする。この時、ある人が、生まれつき赤と青の線が逆に配置されていたらどうなるだろうか。

答えは、もちろん「赤」と「青」が逆に見えるのだが、そのことに当人は一生気が付くことはない。なぜか。「赤」という色の識別は、「トマト」「イチゴ」「血液」「夕焼け」など様々な赤の類似によって、これらの色を「赤」だと認識しているだけなので、赤いものをみて、「赤だ」と言えることは、経験上の累積なのだ。つまり、**同じものを「赤」と指させることと、各人の脳の中でそれがどのように見えているかということは、同じことであるとは言えないのだ。**

そもそも我々は、他者の見ている世界を直接見ることはできない。絵を描いたり、言葉で表現したりする際は、お互いに共通した記号としてのルールに則って表現しているので、もとのままの再現ではない。その意味で、我々の脳内イメージは閉じている。

こうした閉じられたイメージを**クオリア**と呼ぶのだが、我々の脳内イメージは、単純な外界の反映ではないのだ。そうした考えの中で、カントは、「?」に相当する部分を「**モノ自体**」という言い方を与えることによって、認識可能な「**モノ**」と区別した。

我々が脳内のイメージを生涯にわたって完全に共有することが出来ないのだとしたら、何かを認識するという経験は、主観と客観の素朴な一致という図式では考えることが出来なくなる。

現象学と呼ばれる学問体系は、一般的に考えられる客観から主観へという図式をとりあえず**保留（エポ**

ケー）して、主観の内部から考えることを提唱した。外部からくる何かが、脳の中でどういうプロセスを通って、……であるという判断に至るのか。そういう判断の瞬間を「**妥当性**」と呼び、その経緯を明らかにしようとしているのだ。

情報の大元の内実は問わず、受け取る側がそうだと判断する過程が重要だというのは、一見納得がいかないかもしれない。しかし、たとえば、ゲームなどのVRでの体験。どんなに体験する前にこれから生じる出来事か非現実であると了解していたとしても、その後に映し出される不安定な高所という仮想現実は、我々を恐怖に陥れる。なぜなのか。

このことは、大元の恐怖の映像が、嘘であるかどうかよりも、我々にとって、その映像が恐怖であるという**妥当性**に達するかどうかの方が大切であることを教えてくれる。少し信じがたいかもしれないが、我々にとって「本当」であるという判断は、大元が本当かよりも、「本当」であると感じる**妥当性**によって決定してしまうのである。

こうした観点から、芸術においても、作家（創作者）の意図ではなく、作品内部の構造でもなく、**「受容者」こそが、その芸術作品の価値を生み出す場所**なのではないかという考え方が生まれた。こうした考え方を**受容理論**というが、文学の場合は、これを**読者論（読書論）**と呼ぶ。

それぞれの時代の中では、作者にも読者にも共通した考え方が存在し、その考え方の中で読書行為を行い、喜怒哀楽様々な感情を作品から引き出している。だからこそ、ある時代には泣くには充分な**妥当性**をもっていた作品が、現在の読者にはなんの感動も引き出さないといったことが起こる。また、同じ時であっても、ある人には爆笑をさらうような話が、別の人には全くウケないといったことだってよくある。その場合、両者における「笑い」の**妥当性**のポイントが異なっていることになる。もし、対象に内在する面白さが妥当性の根拠であるのならば、ライブであろうがテレビであろうが笑いの差など伝達情報の差にすぎないことになる。

前置きが長くなったが、読者をめぐる諸問題を考えてゆこう。

ここまで考えてこなかったのは「読者」の問題

近代的な思考＝観察点の存在を無視して考える傾向。

⇔　＝デカルトの近代合理主義

カント…「主客（不）一致問題」を提唱。我々の脳内イメージは個々に閉じられたもの（クオリア）であり、他者と完全に共有することは不可能。

現象学…「客観↓主観」の図式を排除。客観の内実（たとえば真か偽か）は問わず、主観の判断の過程（妥当性）を重視。

作家（主体）の意図や作品（客体）内部の構造ではなく、「受容者」が価値を生み出すのでは？

「受容理論」の誕生。特に文学では「読者論（読書論）」と呼ぶ。

記号と空白

読者論では、文学の主たる性質を「記号」であるとみなす。文学が記号と称されるのは、文字記号によって書かれているからだ。文字は、人類の発明史上重大なものの一つであることは間違いないが、文字に限らず**記号**には避けられない欠点が内包されている。一般的に、**記号**とは、現実にある何かとの対応関係で説明される。たとえば、「花」とは、現実にある花を表したものであるといった感じだ。だが、「美しい花」といった**記号**の「美しい」は、既に現実に存在するものを表しているのだろうか。「美しさ」を感じるのは人間だけだという言い方には語弊があるが、少なくとも人間の感じる「美しさ」は、人間独特のものである可能性は高い。しかしながら、その「美しさ」は、時代、地域、経験など様々な要因によって異なる。人によって「美しさ」の**妥当性**が異なるのだ。

また、「あおい」という色がどんな色であるかも、その人々の生きた時代や地域によって異なる。日本語には、「青葉」「青信号」といった言葉があるように、今なら「緑」と呼ばれる色を、「あお」の一部に含んでいた。さらに、青に少しずつ黒を混ぜていった場合、「青」「藍色」「黒」の境界線には、個人差があるはずだ。

実は、言葉は現実そのものを映しているわけではない。「あお」とは「あお」以外の様々な色との違いによって認識される一定の範囲を指す言葉である。「あか」「きいろ」「しろ」「くろ」などといった色ではない色が、「あお」と呼ばれるのだから、厳密に言えば、「あお」には無数の「あお」が存在する。「あお」という言葉は、「あお」ではない色と比べた結果、「あお」の範疇に入るという**妥当性**の結果として「あお」という意味をもつ。

意味の決定（**妥当性**の獲得）には、「…」ではない、「…」ではない、という否定を繰り返してゆく（**言葉の否定的定義**）のだが、もし「みどり」という言葉が存在しなければ、「みどり」という色の範囲は、別の色の範疇に取り込まれてしまい、「みどり」という色は存在しないことになる。ある色が存在するかどうかは、言語によって異なるのだが、これは使用する人々の身体的能力（この場合、目がいいかどうか）とは関係ない。また、その色が「みどり」という音や文字と結びつくことにも何の法則性もない（**言葉の恣意性**）。

そこで、言葉が発声される瞬間どうしても原理的に、何か過剰な情報を引き込んだり、必要な情報がそぎ落とされたりする。ある人が目の前の色を「あお」と叫んだとき、既に、こうした劣化が起こっているのだ。

さらに、その「あお」という**記号**を誰かが受け取ったときは、自分の経験から、その「あお」を脳内で復元（解釈）しなければならないが、その時にも劣化は避けられない。

現実を言葉（**記号**）にすることを**エンコード**、言葉（記号）から現実を復元することを**デコード**と呼ぶが、この両者において必ず劣化が起こるということは、通常の言語コミュニケーションには、必ず劣化がついてまわることになる。単純な言葉だけで考えてもこうなるわけだから、文字記号の集積体である**詩的言語のコミュニケーションにおいて、何かの固定的なメッセージが劣化することなく伝わると考えるほうが難しい**。

読者論では、こうした際に生じる劣化を「**空白**」と呼んでいる。つまり、**記号**には必ず**空白**が含まれており、現実から**記号**を生み出す際には、いくつもの**空白**が入る。そして、**記号**から現実を再生する際には、解釈という行為を通じて、**空白**を埋めなくてはならない。その際、根拠となるのが、現実あるいは解釈の積み重ねから得た経験なのだ。

たとえば、楽譜が**記号**であることは誰にでも理解出来るだろう。よく、楽譜をしっかりと見て楽譜通りに演奏しなさい、といったアドバイスを受けることがあるが、実際に楽譜をコンピューターに打ち込んで再生してみると、それは必ずしも上手い演奏には聞こえない。それは、楽譜通りであるのにも拘らずだ。なぜか。

それは、楽譜に空白があるからだ。音楽記号は、作曲者がその曲のすべての情報を書き込めるようには出来ていない。そもそも記号には、書き込めない情報が沢山あるのだ。分かりやすい例で言えば、オーケストラでの各楽器の音量のバランスなどは、楽譜には書き込むことは出来ない。しかし、指揮者は、その書き込まれていない空白に、自らの解釈をほどこして、各楽器の音量バランスを考え、演奏者に指示する必要がある。機械は、記号の通りに演奏することは出来るが、記号の空白を解釈して充填することは出来ない。だが、これは音楽記号だけの欠点ではない。現実を記号化する際には、原理的に劣化を伴うのだ。

もちろん、文字記号でも理屈は全く同じだ。どんなに技術を駆使して、現実の経験や感情を再現しようとしても、それが記号である限り、劣化は避けられない。言葉には空白が生じる。そして、その言葉（記号）を解釈しようとする際には、空白を埋める必要があるが、その方法に絶対的な正解はない。

もちろん、絶対的な正解はなくとも、それぞれの時代や集団の中においては、ある程度の正解を出すための暗黙のガイドラインのようなものは存在する。それを、制度と言ったり習慣・流行と言ったりもするが、文学研究で重要なのは、当時はあたりまえすぎて意識することさえなかった価値基準、または今となっては分かりにくくなっている、当時の特定の読者たちの価値基準だ。

文学の主たる性質は「記号」である

◎記号の特徴

① ある何かとの対応関係で説明されるが、その妥当性は様々な要因（時代、地域、経験…）によって個人差が生まれる。

② 言葉とは現実そのものを映すのではない。ある言葉の意味の決定は、「…ではない」の繰り返しによって決定されるものである（言葉の否定的定義）。

③ ある記号と現実の対応関係には何の法則性もない（言葉の恣意性）。

言葉が発生される（現実が記号化される＝エンコード）際には必ず劣化が伴うし、言葉が解釈される（記号から現実が復元される＝デコード）際にも必ず劣化が伴う。

このような劣化を読者論では「空白」と呼ぶ。現実あるいは解釈の積み重ねから得た経験を根拠に「解釈」が行われることで空白は埋められる。そこに絶対的な正解はない。

同時代言説から小文字の歴史へ

たとえば、一九〇〇年に書かれた文学に対する発表直後の批評（同時代評という）では、絶賛されていたのに、現在では全く読まれなくなっている文学があったとする。これは、当時の評価軸と現在のそれが大きく異なってしまったことを示す。ある時代を共有している資料群を構成する文章を**言説**（ディスクール）と呼ぶが、ある特定の時代の**言説**（ディスクール）がどういった価値観に支配されているかを考える研究を**言説研究**と呼ぶ。

ある価値観のもとにある時空を、T・クーンの用語で「**パラダイム**」と呼んだりすることもあるし、もう少し広い時空を対象としてM・フーコーは「**エピステーメ**」と呼んだりしたが、重要なのは、その時空の範囲の確定とその価値観の内実である。たとえば、一九〇〇年前後の日本の文壇の価値観とか、五世紀から一九世紀までヨーロッパ世界を支配していたものの見方などといった枠組みである。前者は、科学史の用語、後者は文化人類学的な用語なので、適応範囲が異なるが、文学研究における**言説**（ディスクール）は、文壇のような狭い世界の**パラダイム**と、**エピステーメ**とでも呼ぶべき広くかつ長期にわたる価値観の両方が反映される。

パラダイムの方は、科学の世界のような、ある程度狭い専門領域に適応される概念なので、こうした狭い世界の価値観は、突然の人物や論の出現によって大きく変更されてしまうことがある。こうした突然の変化を「**パラダイム・チェンジ**」と呼ぶが、文壇のような狭い世界では、こうした**パラダイム・チェンジ**が起こることがある。つまり、それまでの文学作品を評価する価値観が、大きく変容し、全く異なる価値観で評価されるようになるのだ。

一方、**エピステーメ**の方は、適応範囲が広いため、基本的にはある程度の時間をかけて変化してゆくものだが、それは十年続いた**パラダイム**が一年でチェンジすることと、何世紀も続いたものが数十年かけて変化してゆくものとの違いなので、あくまでも相対的なものであると言える。その時代に広く行き渡っている、あまりにもあたりまえの感覚は、当時を生きる人々にとっては、あたりまえすぎて意識出来ないので、公的な記録には残りにくい。たとえば、ある年に誰が総理になったかは歴史に残るが、同じ年に自転車が人々に普及したみたいな出来事は、公的な歴史には残らない。前者のような公的な価値が認められ記録に残る歴史を**「大文字の歴史」**と呼ぶのに対して、後者のような当時を生きる人間にはあまりにも自明すぎてその価値を相対化しにくいような事象を**「小文字の歴史」**と呼ぶ。

この**小文字の歴史が、明確に記録される言説（ディスクール）が、文学なのである**。文学は、同じ時代の読者に共有される様々な事象を前提としている。「盗んだバイクで走り出す」というフレーズで有名な「15の夜」（一九八三年）は、尾崎豊十四歳（七九年）の詞である。コンビニエンスストアのフランチャイズ化と二十四時間営業の普及は八〇年代、缶コーヒーの発売と温めた状態による自動販売機での販売は、七〇年代後半のことである。また、当時原付バイクの「直結」（キーのかかったバイクを始動させて盗む技術）が問題となり、後に各社その対策に乗り出すようになる。こうした歴史的事象のどれが欠けても、家出をした少年が、盗んだバイクで走り出し、唯一の灯りとぬくもりを求めて、自動販売機の缶コーヒーを飲むという物語は成立しない。

同時代の人間から見れば、盗んだバイクで走り出せることも、夜中に得られるぬくもりが缶コーヒーぐらいである（当時深夜営業の業態はほぼなかった）ことも、普通のことだった（これを**「自明性」**という）ので、あえて重要視することはない。だが、我々の常識からしたら、深夜営業の店や温かい飲み物を提供する自動販売機がない世界など想像もつかない。現在、常識的な存在が、いつ誕生し、どのように普及して、どのように人々の意識を変化させていったのか。こうした記録は文学の中にしかないのだ。

文学の中にある言葉の描かれた時代や解釈の経緯を細かく注する研究を**「註釈」**と呼ぶが、文学の**註釈**を通じて、当時の**小文字の歴史性**を明らかにする研究は、非常に重要な研究である。古典の場合は、たとえば中古に書かれた文学が江戸時代に**註釈**を加えられたものがあり、これらを「古註釈」と呼ぶ。古典の場合、書かれた時代の常識、少し前の時代の常識、今の常識などの間に相違があることがあたりまえなので、まずは書かれた当時の常識を学んでから読むのが普通だ（古典常識）。

ところが、近代文学などの場合は、つい今の時代と同じ感覚で読んでしまいがちだ。しかし、テクノロジーの変化が早い近代は、凄い早さで社会の常識が変化してゆく。そこで、数年の違いが、大きな**エピステーメ**のようなレベルの変化を呼び込むこともあるのだ。

ところで、こうした**同時代（言説）研究**が、作家の意図と同様に捉えられることがあるが、それも間違っている。こうした研究で明らかにしたいのは、作家自体も自明すぎて意識しないで、書き込んでしまっている社会的前提なのだ。優れた作家は、同時代の**自明性**に気がつきそこに付和雷同せず、様々な違和感を表明してゆく面が確かにあるが、一方で、同時代のすべての**自明性**を客観視出来るような位置に立てるわけではない。前者であれば、作家の卓越性ということになるが、多くの場合は、微妙な違和感として表明されることがほとんどだ。また、ある時代の**小文字の歴史性**を読み取ることが可能なのは、本来後世の人々の特権なのだ。つまり、**今現在に近づけば、近づくほど、客観視可能なメタな位置に立つ研究は難しいことになる。**

同時代評での評価と現在の評価が一致しない文学作品の存在（評価軸の変化）

① ある特定の時代の言説（ディスクール≒文章の形態）がどういった価値観に支配されているかを考える研究を「言説研究」と呼ぶ。

② ある価値観のもとにある時空＝パラダイム（トーマス・クーン（科学史用語））

もう少し広い時空＝エピステーメ（M・フーコー（文化人類的））
パラダイム…突然の変更（パラダイム・チェンジ）
エピステーメ…長い時間をかけて変化する。

③ 公的な価値が認められ記録に残る歴史＝大文字の歴史
④ 当時を生きる人間にはあまりにも自明すぎてその価値を相対化しにくいような事象＝小文字の歴史

古典…「註釈」や同時代常識を通して研究されている
近代文学…軽視されがちだが、近代はテクノロジーの変化が早いため、実際には数年でエピステーメレベルの大きな変化が現れることすらある。（ex携帯電話）

読者の難しさから読者の創造へ

読者を考える際に難しいのは、ある程度の数の読者の平均値を考えるしかないという問題だ。たとえば、『少年ジャンプ』という雑誌の読者は、必ずしも少年ばかりではないだろう。雑誌名に反して、少女という読者層を考えることは重要だろうし、昨今では、少年層に匹敵するくらいに大きな読者勢力となっている。だが、少女がマイノリティでも、マジョリティになっても、その内実は多様であって、抽出可能なのは、平均的な少女たちの像である。もちろん、これは、少年読者にしても事情は同じで、抽出可能なのは、少年たちの平均像であり、ある意味、どの少年にも近いがどの少年にも重ならない。

また、人気投票やファンレターなどの誌面掲載記事は、常に何かしらのバイアスのかかった言説群であって、それを掲載する側の意図が全く反映していないとは考えにくい。さらに、ある特定の読者の可視化は、なにかしらの読者の抑圧・隠蔽に繋がる可能性もある。たとえば、少年誌における少年読者の分析は、兄や弟の雑誌を読む姉や妹の立場にある読者たちの存在を見えなくしてしまう。

読者像の根拠となる言説には、常にバイアスがかかっていること。ある読者像は他の読者像の抑圧に繋がる可能性があること。どこまでいっても読者は、平均的かつ抽象的な像でしかないこと。これらは、読者論において、常に注意すべき事項であるが、これらの欠点を充分に踏まえた上でなされた読者論的アプローチは、非常に有効な結果を得られることも少なくない。

先述したように、こうして抽出された読者像を解釈共同体と呼ぶ。解釈共同体の規模が大きくなればなるほど、その偏向を指摘する重要性も上がってゆくわけだが、一方で規模が狭い方が分析もしやすくなるし、その精度も上がる。たとえば、学校の教室などは、解釈共同体が抽出しやすい。年齢層が近く、同じような学力（達成レベル）で、同じ環境（教室）で、同じテクストを読むという空間は珍しい。さらに、成績、他者からの目、他人よりも褒められようとする心情など、そのバイアスも分かりやすいものを多く含んでいる。

期待の地平と解釈共同体

現代社会において、無策でものを売ろうとすることはあまりなく、基本どんなターゲットにどのくらい売ってゆくのかを充分考えた上で商品化する。その際、購買者側にどんな欲望があるのかを調べることを市場調査と呼ぶが、それでも大ヒットを狙うのはなかなか難しい。

商品には、大きくヒットする商品とほぼほぼ売れない商品、ある程度の売れ行きの商品とがあるが、大ヒットした商品は大概の場合売れている期間は短い。一方で、ある程度の売れ行きの商品やほぼ売れない商品の方が、商品としての寿命が長いことが多い。ヒットするには様々な要因があるので、必ずしも内容が良いわけでもないだろうが、ヒットの要因には、消費者の何かしらの欲望を満たす要素が含まれていることは間違いない。

受容者が消費の際に、商品に期待する要素を「**期待の地平**」と呼ぶ。期待の地平は、様々な需要形態に適応出来るが、文学の場合、読者のある作品に対する期待値ということになる。ある読者がある文学を目の前にした**期待の地平**は、それまでの読書経験からくる作者やジャンルへの期待値によりつくられる。よい経験の積み重ねだけが期待値を高めるわけではないが、ある作品が期待通りだった時は、同じジャンルの別作品や同じ作家の次回作の期待値を高めることが多い。

ある作品を手に取った人に、その作品に対する期待値が全くないということも珍しい。無意識的にせよ何かしらの期待値をもってしまうのは読者の性と言ってもいいかもしれない。だが、いざ読書行為に入ると、それまでの期待値と書籍が与えてくれる満足度の間に葛藤が起こる。ある期待は裏切られ、ある期待は予想以上の満足が与えられる。その結果が読後感だとしたら、それは次の読書への**期待の地平**となる。

「地平」という比喩は、読書行為が常にこれから起こる（知る）出来事への「期待値」に支えられていること、目標（読書行為）に辿り着けば、そこには次の地平（期待値）が出来ているといった感覚を上手く示している。

H・R・ヤウスによると、**期待の地平**と作品が提供出来る満足度の関係は、次のようになるという。濃い場所が満足させることが出来る期待値、黒い円の内部が大衆の読者の期待の地平だとした時に、Aは人々の期待をほとんど満たせずつまらない作品として顧みられることもない作品。Bは、人々の期待値と満たすことの出来る期待が一致した作品で、これがヒット作の構図。Cは人々の期待値を遥かに超えたものをもっている作品。Cが寿命の長い文学作品である。

Cの特徴は、人々の期待を超えたものが多すぎて、満足度もあるが、同時に多くの「謎」を残してしまうことにある。その意味では、Bは、受容者たちの期待値を余剰なく満たしてくれるため、同時代のヒットいわゆるベストセラーとなる。だが、この期待の地平は無作為に移動してゆくので、人々の期待の地平は、いずれBとは関係ない位置に移動してしまう。Cの場合は、「謎」が多いが、その分、期待の地平の

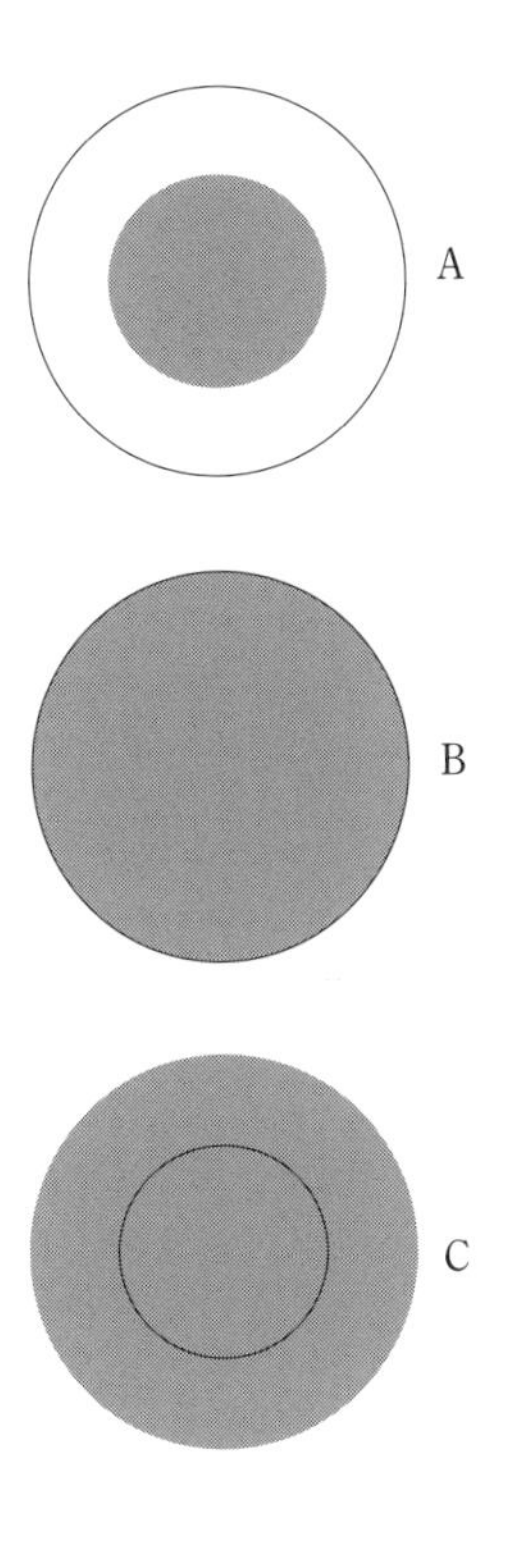

位置が多少動いても、それに対応出来るだけの作品であるために、長く読まれ続けることになる。ただし、Bとは異なり、「謎」を「謎」のままとして探究の対象とし続けるような読者を選ぶことになる。

確かに、この説明には一定の説得力と魅力がある。特に、人々の期待値が無作為に動いてゆくという指摘は重要で、期待の地平は人々の生活の偶然から生まれる要素が大きい。先述した、アトムの話のように、戦後直後の人々の原子力エネルギーに対する憧れと期待は、原発政策と結びつき、自国資源に乏しい日本人に一定の夢を抱かせた。世界唯一の被爆国が、同時にこれだけの原発を抱えていられることは、アトムを正義のヒーローとして応援し続けたことと無関係ではないし、東日本大震災と原発の事故は、日本人の原発に対する価値観を大きく変容させた。あの震災以後、東京電力のイメージキャラクターであったアトムの姿が消えたことを我々は忘れてはいけない。

だが、将来見出せる（かもしれない）価値が「発見」されるまで、それが「謎」として機能し続けるメカニズムは、解明されていない。そもそも、理解はされないが、何となく「謎」や「深み」のようなものとして認識される場合と、「謎」が多過ぎてつまらないとみなされてしまう作品の差はどこにあるのだろうか。これが、マーケティング（市場）分析の最も難しいところだ。

こうした市場の動向解析の一番の強みは、ベストセラーのメカニズムを作品内部の必然性ではなく、読者の**期待の地平**の偶然性から説明できることだ。初期の村上春樹の世界では、学生運動に背を向けながら独自の「個」や「性」に内向していた青年像を描くが、八〇年代のバブル景気を背景に、社会や政治から離れ享楽的な性に身をおいていた当時の「現実」から生まれたロマン主義的な期待値と妙な形で一致し、「百パーセントの恋愛小説」（『ノルウェイの森』のキャッチコピー）として、難解な部分を多く含みながらも一般読者をも巻き込むベストセラーとなった。

だが、当時のキャッチフレーズ（百パーセントの恋愛小説）のように、村上の作品を「純愛」「恋愛」というキーワードで読み解けるかは、留保が必要だし、ワンルームの一人暮らしが多くなった当時の大学生たちの、理想の部屋特集の中では、本棚のかなり目立つ位置に、『ノルウェイの森』の単行本上下巻が置かれている写真が散見される。こうした、読者たちの状況からベストセラーを見ることは、内容的に素晴らしいものが含まれているといった従来の研究法からは、一線を画したものになる。ベストセラーには、一定数の、本（内容）を読まないのに購入する人々を含んでいるからだ。別の言い方をすれば、本を購入する人の**期待の地平**には、書籍の内容以外の要素もあるということだ。こうした観点を考慮出来るところに、読者論の強みがある。

また、高木元の研究のように、ハードカバーがない明治初期の本屋は、本棚の背表紙を見て自分で本を選択するのではなく、店員が客の好みを聞いた上でお薦めをセレクトしてゆく方式であったという研究や、前田愛の音読から黙読という読書行為が一般化する過程の研究や、永嶺重敏の指摘する、大正期の大都会では週ごとに数冊の雑誌を配布、回収する貸本回覧業者が多数存在していた研究など、具体的な読書形態を指摘してゆく研究もある。今日我々が行う読書行為そのものが、自明ではないのである。

こうした実体的な読者（読書）の調査は、当然ながらすべての読者像を明らかに出来るわけではないが、時代に制限された読書の在り方は、当然読み方にも大きな影響を与える。机を必要とする和綴じ本からハードカバーの書籍へ、文庫本からデジタルへ、大量の本が自由に持ち歩けるようになったテクノロジーの変化は、読書する場所、時間を大きく変容させる。もちろん、こうした研究は、精密かつ膨大な調査を必要とするが、それだけに、内容からのアプローチとは、全く異なった成果を得られることがある。

受容者が消費の際、商品に期待する要素＝「期待の地平」

ヤウス…期待の地平と作品が提供する満足度には三パターン
A…人々の期待を全く満たせず、つまらない作品として顧みられることもない作品。駄作。

B…人々の期待値と満たすことの出来る期待が一致する作品。ヒット作。

C…人々の期待値を遙かに超えたものをもっている作品。「謎」が多い。ロングセラー。

期待の地平の強み…ベストセラーのメカニズムを作品内部の必然性ではなく、読者の期待の地平の偶然性から説明できる。

具体的な読書形態の研究も、内容からのアプローチとは全く異なった成果を得られることがある。

内包された読者

先の「羅生門」の例で、この語り手は、書いていいるという設定になっていることを指摘した。その設定から考えると、読者は読んでいいると考えないとおかしい。文学なのだから、読んでいて当然であると思いがちだが、実際にはそう単純ではない。このケースでも、「作者」と名乗る人物が誰かに向かって書いている文章を別の人間が読んでいるとも考えられるので、読者自身が直接の相手ではないとも考えられる。いずれにせよ、直接的な相手としての読者であることと、第三者としての読者であることは、解釈の位相が異なる。読書行為において、読者は物語に参入する上で、何かしら位置の読者を引き受ける必要がある。「羅生門」の「語り手」は「旧記」を見ながら書いていることと「サンチマンタリスム」等の語彙を使用していることから、語られている時代よりはかなり後、おそらくは現代の位置から書かれている。そこで、読者も、現代の位置から物語に参入することになる。物語内容は平安末期の時代であるが、読者はその時代のことを相対化出来る位置にいることを要求されているのである。

一方で、平安末期に書かれたものを読もうとする現代の読者が物語世界に没入するためには、その時代の「常識」を習得した読者になろうとする必要がある。それは、大概の古典は、何百年も後の読者に読まれることを想定していないし、その読者の生きる社会は想像もつかないはずだからだ。つまり、それぞれの時代の作品は、それぞれの時代の読者を想定して書かれている。W・イーザーは、こうした、作品が要求している読者像を「**内包された読者**」と呼んだ。

内包された読者像は、現代の視点から書かれた様々な解釈の可能性(解釈のアナーキー)をある程度限定的にすることが出来る。たとえば、フロイト以後の精神分析的な知見を知っている我々が、明治時代の作品を読む場合、そこにも心理学は存在していたが、今の我々が知るそれとはかなり異なる。もちろん、その作品の作者が当時の心理学の知見を持っていたかは定かではないが、少なくとも現在の心理学の到達点を当時の人々が知る由もない。だが、もしその作品が当時の心理学の知見を知っている読者を想定しているのならば、そうした読者像が作品に内包されていることになるし、そうでなかったとしても、当時の心理学的な常識が共有された読者が内包されているとは言える。むろん、後者の場合、当時の心理学的な常識すら知らない読者が省かれることになるわけだが、それは、平均的な読者像を考える読者論の強みでもあり弱みでもある。

また、**内包された読者像**には、その物語が設定した世界観を了解して読むことが求められている。これを、「**虚構世界への参入意思**」と呼ぶが、もちろん、それを「了解」した上で、アイロニーをかけることは可能だ。重要なのは、分析対象に内包される読者を意識した上で、戦略的にシンクロ／アイロニーを決定することだ。

読書行為論

読書行為論とは、読書行為を「テクスト」と「読者」の間の相互作用であると考える。読者は、空白を自らの経験や理論・論理の体系などから充填して、ある種の意味体系を完成させようとする。だが、読み進めてゆくうちに、その意味体系がテクストによって否定され、解釈の再構築を余儀なくされる。それは、もちろん根拠とした自分の論理や経験にも影響を与えるわけで、異なる自分に変化しながらも、テクストに新たな首尾一貫性を与えようとする。読書行為は、こうして、読者もテクストも変化させてゆく。読書行為は、その結果両者の在り方を変化させるので、どちらかが既存の状態のまま読書が終わることはない。こうした感覚は、イーザーが読書行為を「出会い」という言い方で表すことによく示されている。「レパートリー」「ストラテジー」「視点の移動」など様々な概念が提唱されているが、**読書行為論**と呼ばれる方法は、読者とテクストの間の絶え間ない相互作用の内実を定義しようとしたものである。

たとえば、先行する知識をもった読者（何の知識もない人間が読書することは考えにくい）が、テクストと出会い、ある一定の解釈を打ち立てたとして、それは当然次の展開への予想（期待）となる。だが、読書行為は常に続いてゆくため、その期待も次の瞬間には、既存の解釈と照らし合わせられて、解釈そのものが変容してゆく。

頁をめくりながら次々と新たなテクストに出会ってゆきながら、それまでの知識の解釈が再構築されてゆく。それまでの解釈は新たな解釈を予想し、それは実現したり、裏切られたりしながらも、解釈は続いてゆく。その様子が弁証法のように捉えられているところが、ドイツの理論らしい特徴でもある。

読書行為論の論理体系は、現象学の影響が大きい。現象学は、受容者側の妥当性の生成を探究しているわけだが、妥当性を得るには、外部から入ってくる何かの存在（与件）と、それを一括して何かと捉える力の存在（直観）が必要である。読書論では、テクストそのものを読者の意識に与えられた「与件」と捉え、それを掴みとる（意味を与えイメージを喚起する）力を記述しようとしている。

先ほどの**解釈共同体**の理念で有名なS・フィッシュは、イーザーの理論の根底である読者とテクストの二極化を否定し、読者によってのみ解釈が生成される一元論を主張した。フィッシュに言わせれば、テクストは読書行為の裡に現れる「現象」に過ぎない。先に述べたように、読者論の論理体系は、現象学の影響が大きいのだが、フィッシュの考え方は、より現象学的な図式が徹底されているとも言える。だが、こ

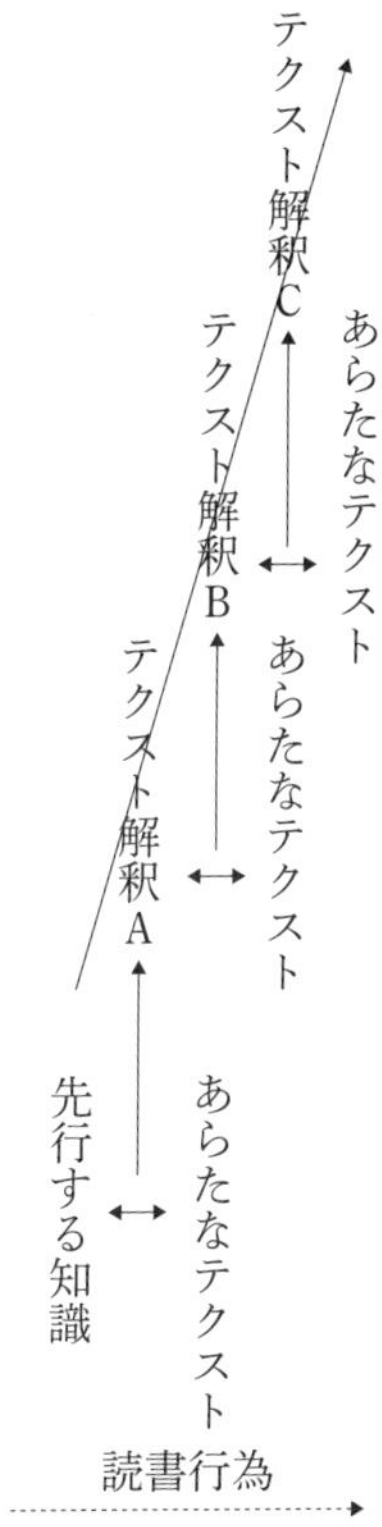

テクスト解釈C
あらたなテクスト
テクスト解釈B
あらたなテクスト
テクスト解釈A
あらたなテクスト
先行する知識
読書行為

のように読者のみに解釈の自由を与えてしまうと、その解釈を矯正あるいは規制するものがなくなってしまう。いわゆる「解釈のアナーキー」と批判されるものである。しかし、そのことには、フィッシュも当然気がついており、その上で、**解釈共同体**という枠組みが読者の解釈行為をコントロールするものとして提唱されているのだ。

イーザーへの批判は、この二元論的な枠組み（特にテクストを片側の極におく設定）と「内包された読者」の理念に集中するようだが、「内包された読者」はイーザーのような必須の理念装置ではなく、テクストから読者を可視化することによって新しい魅力的な解釈が可能となる時に使用されるべきである。また、変容してゆくのは読者であってテクストではないという考え方も、かえって読書の効用といった倫理に絡め取られる可能性が排除出来ず、それほど有効なイーザー批判にはなっていない。

むしろ、読書行為論の問題は、その相互作用の様相を掴むために提唱された諸理念（理論）が、かなり抽象的かつ高度な読解を習得した読者を要求してしまうことだと思われるのだ。

読書行為論を国語教育に適応しようとする動きが盛んであることは、逆に言えば、学校教育の中の国語という授業が、通常の読書に比べて、特殊な読書行為あるいは均質的な読書行為を生み出しやすいからなのではないか。それ自体がいけないと言っているのではない。ここで確認したいのは、読書行為論で抽出される読者は、かなり抽象度が高すぎて、平均的な読者として措定することが難しいのではないかという問題なのである。

結語――「読者論」と「国語」の実践

これまで概括してきた読者論の様相に対して、「文学」を分析する理論としては、筆者は必ずしも賛同する立場にはない。特に、読書行為を抽象化する理論には数々の問題が残っている。

同時代の読者という研究法（同時代言説研究）は、確かに研究としては興味深いのだが、基本は調査によってなされるものであり、時間と設備が限定された教室での実践は難しい。研究や批評においては読者像の客観化が不可欠ではあるが、ある読者像の抽出とは常に別の読者の抑圧の結果でもある。その事を充分に意識した上で、〈われわれ〉以外の読者像の抽出（例・男子校における女子読者の読解の可能性など）を試みてみることは意義があることに思われる。ただし、現場から他者への想像力をどこまで生み出せるかは、現場の議論からだけでは難しいだろう。

しかし、教室という空間は、読者を〈われわれ〉という意味で概括しやすいという特徴もある。地域もしくは学力など、同じような環境の学生が集まった空間においては、その特徴に応じた読みの傾向が出てくる可能性が高い。それが、読み方の偏向に繋がる恐れはあるものの、一方では「解釈共同体」の傾向が抽出しやすいとも言える。

もちろん、教育の研究では、授業実践の報告などは当然のこととして行われているが、一方で、そういった実践のデータにどこまで汎用性をもたせることができるか。どういった条件のもとにあるデータなのか。こうした点を、研究を提供する側も、受容する側も充分注意しておく必要がある。

言うまでもなく、〈われわれ〉の読みを相対化するためには、その契機となる読みが提示されることが必要だ。複数の読みが拮抗するのであれば、教室の実践は容易であるかもしれないが、現実的には〈われわれ〉に属しないにも拘らず強度のある読みが自然に抽出できる現場は少ないだろう。

読者論の実践において必要なのは、潜在的な読者が可視化された時、その読者の読みにどういった説得力を持たせ、どのようにマジョリティの読み方に揺さぶりをかけさせるのか。マイノリティの声に耳を傾けろ、という命令から、自明性の揺らぎにもってゆくのではなく、自明性の揺らぎという体験＝結果から、マイノリティの声の重要性に気がつく。そんな実践が求められるのではないだろうか。

ブックガイド

H・R・ヤウス著、轡田収訳『挑発としての文学史』二〇〇一、岩波現代文庫
S・フィッシュ著、小林昌夫訳『このクラスにテクストはありますか』一九九二、みすず書房
W・イーザー著、轡田収訳『特装版　行為としての読書』一九九八、岩波書店
和田敦彦『読むということ』一九九七、ひつじ書房
　『読書の歴史を問う』二〇二〇、文学通信
石原千秋『読者はどこにいるのか』二〇二一、河出文庫
前田愛『近代読者の成立』二〇〇一、岩波現代文庫
永嶺重敏『雑誌と読者の近代』一九九七、日本エディタースクール
　『〈読書国民〉の誕生』二〇〇四、日本エディタースクール
　『モダン都市の読書空間』二〇〇一、日本エディタースクール

また、国語教育で読者論を応用する実践としては以下のようなものがある。

山元隆春『読者反応を核とした「読解力」育成の足場づくり』二〇一四、溪水社
上谷順三郎『読者論で国語の授業を見直す』一九九七、明治図書出版
関口安義『国語教育と読者論』一九八六、明治図書出版

第三章

理論から実践へ

1　テクスト論の実践のために

　文学を解釈学の一つと考えれば、解釈学にはおよそ四つの形態が考えられる。最も素朴なのは、何となく思ったように解釈してゆくことだが、これは日常的な鑑賞態度であり学問的な態度ではない。それは、目的も方法もない行為に過ぎないからだ。鑑賞することと学問することは全く違う。**解釈学とは、「解釈」という営為を人間の行為の基本的な一つと捉えてその意味を探ろうとするものだ。**解釈の対象となるものは多岐にわたるが、中でも文学は『聖書』と並んで長い歴史を有しており、常に人々の解釈の対象であった。

　そうした中で「解釈」の目的は、長い間その「創造主」の「意図」であった。「聖書」ならば神、文学ならば作者がその「創造主」とされ、その「意図」を読み取るための手段が模索されたのである。神の「意図」を読み取ろうとする営為が神学として分かれた後、文学は「解釈」の中心的な解釈対象であり続けた。その際、重要なのは、その「意図」を証明する証拠だ。日記、草稿、断片など、作者が直接書き残したとされるもの。同じ作家が書いた他のもの。作者に対する証言や、作者について書き残されたもの。こうした資料群を基に、作者像を構築し、その「意図」を突き止めるのが、最も正当な「解釈」であるとされてきたわけだ。

　このような長年、最も正当な「解釈」とされてきた方法を、文学では「作家論」と呼ぶ。「作家論」も学問的な方法であるので、何となく思ったような感想を述べてゆく印象批評とは違い、「意図」を証明する明確な証拠を提示する必要がある。近代の作家論を考える上で重要な資料は、その作家の名を付した「全集」に収録されていることが多いので、まずは、そこに収録されている、日記・断片・未刊文章・草稿などを参照することになる。だが、比較的最近デビューし作家全集が刊行されていない作家や、刊行されていたとしても不完全な全集しか存在しない作家の場合、別の資料を探してゆくしかない。

事典類の記述、評伝（伝記）、年譜、対談やインタビューなども、そうした作家論的な資料価値を有するものと考えられるが、こうした資料群すら存在しない作家の場合、作家論的な手続きをとることは難しい。個人情報保護法の施行以降、作家の個人的事項もプライバシー保護の対象となり、学問と言えども法を逸脱する調査は自ずから制限されることになり、さらに作家自体がそのキャラクターを作為的に調整している（メディアによって創造されている）場合も多いので、現在、作家論的な方法はますます困難を極めている。

一方で、解釈学の対象が文学のみならず、音楽、美術、法律、歴史など多岐にわたっている現在、文学の「解釈」もこれまでの方法の裡に安住出来なくなってきた。

歴史であっても経済であっても、あるいは物理や化学のような理系の学問であっても、文学と無関係ではない。歴史的事象も現在の社会分析も、ある種の因果関係によって表現されるという意味では、物語言語と同じ論理構造（フランス語では histoire は「物語」であり「歴史」でもある）をもっているし、水の分子構造を、「丸い」水素原子が二つの「腕」によって「丸い」酸素原子と接続していると表現することは、ある種の比喩的な置換であり、比喩（メタファー）とは詩的言語の代表的なレトリックである。

また、映画、アニメ、ドラマなどの物語や、現代のポップミュージックなどは、一人の作者が唯一の創造主という設定自体を無効にしつつある。宮崎駿のアニメが宮崎駿の独力によって生み出されているとは言い難いものがあるし、あるテレビドラマが脚本家や監督の力のみでヒット作になるというのも考え難い。

そこで、創造主≒作家を（受容者≒読者も）仮設された概念的存在として考え、解釈対象に「内在」しているように見える魅力の源泉のようなものを、人々を魅了する「機能」として分析してゆく手法が生み出された。

本書では、そういった手法を「反・作家論」として捉え、イギリスのニュークリティシズム、ロシアの構造主義、フランスのナラトロジー、ドイツの受容理論（読者論）の四種の方法を整理、解説してきた。だが、テクスト論と呼ばれている方法は、これらとは異なるのだ。テクスト論とは、解釈対象をテクストとしてみなすことであり、厳密に言えば、それは何かしらの「方法」ではない。

解釈対象	作品	テクスト
解釈の目的	作家の意図	読者の任意

「テクスト」とは、もともとはラテン語のtextum（＝織物）が語源の言葉で反意語は「作品」（works）である。ちなみに、よく混同される語に「テキスト」があるが、「テキスト」とは「教科書」のことであり、英語圏では通常textbookというものを指す。ただし、厄介なのは、この三種類は、基本同じものを別々の言い方で示したものに過ぎないということだ。つまり、ゼミの教員が「来週のテクストは『羅生門』です」という言い方をした時、その「テクスト」を「テキスト」や「作品」に替えても、指しているものは同じなのだ。

しかし、もしこの教員が本当に意識的にこれらの言葉を分けて使っているならば、「テキスト」「テクスト」「作品」の三種類では、学生の受け取り方（つまりは予習の仕方）が異なってくるのだ。「テキスト」

ならば「教科書」と言われているだけなので、普通に『羅生門』を読んでくればいいことになる。一方、「作品」と言われた場合は、『羅生門』を書いた芥川龍之介の「意図」を考え、調べてからゼミに参加するべきなのだし、「テクスト」と言われたならば、逆に作家の意図などを考えてきてはいけないことになる。

第一章で「テクスト」とは「織物」であると言った。「織物」とは糸を縦と横に編み込んでつくられる。その際、その「織物」に何本の縦糸と横糸が編み込まれているかなどということは、到底数えきれるものではない。確かに、そこには作者の「意図」も織り込まれているだろう。「横糸」とは同時代の関係性から作者の中に生じた「意図」（ライバル意識や嫌悪など）、「縦糸」とは過去からやってきて作者の中に生じた「意図」（影響やリスペクトなど）を指す。だが、いずれの場合も、あくまでも作者の中に生じた「意識」だ。作者がライバルやリスペクトを「意識」したからこそ生じた「意識」なのだ。その意味で作者は「意識」が発生する、作品は「意識」が具現化するゼロ地点なのである。

だが、「テクスト」には、作者が「意識」していないものも沢山編み込まれている。漫画を描こうとする作者が、過去に読んだすべての漫画を記憶して「意識」しながら描いているはずもない。また、同時代に知り得たすべての漫画家が常に「意識」の中に想定されているわけでもない。こうした作者が「意識」しないもの（無意識的な「糸」）が沢山編み込まれているものを想定しているのが「テクスト」という概念の特徴なのである。

単純な概念図だが、📚が書かれたテクスト、☺がテクストとしての人間（読者）を示している。黒い人間は、読むだけではなく書く行為をする人間（作家）。「書く」は実線、「読む」は点線である。「読む」という行為は人間の特権だから、点線は人間から伸びる。テクストは誰かによって「書か」れた結果なので、すべてのテクストには、どこからか実線が伸びている。時間は、上から下に流れ（太い点線）、太い

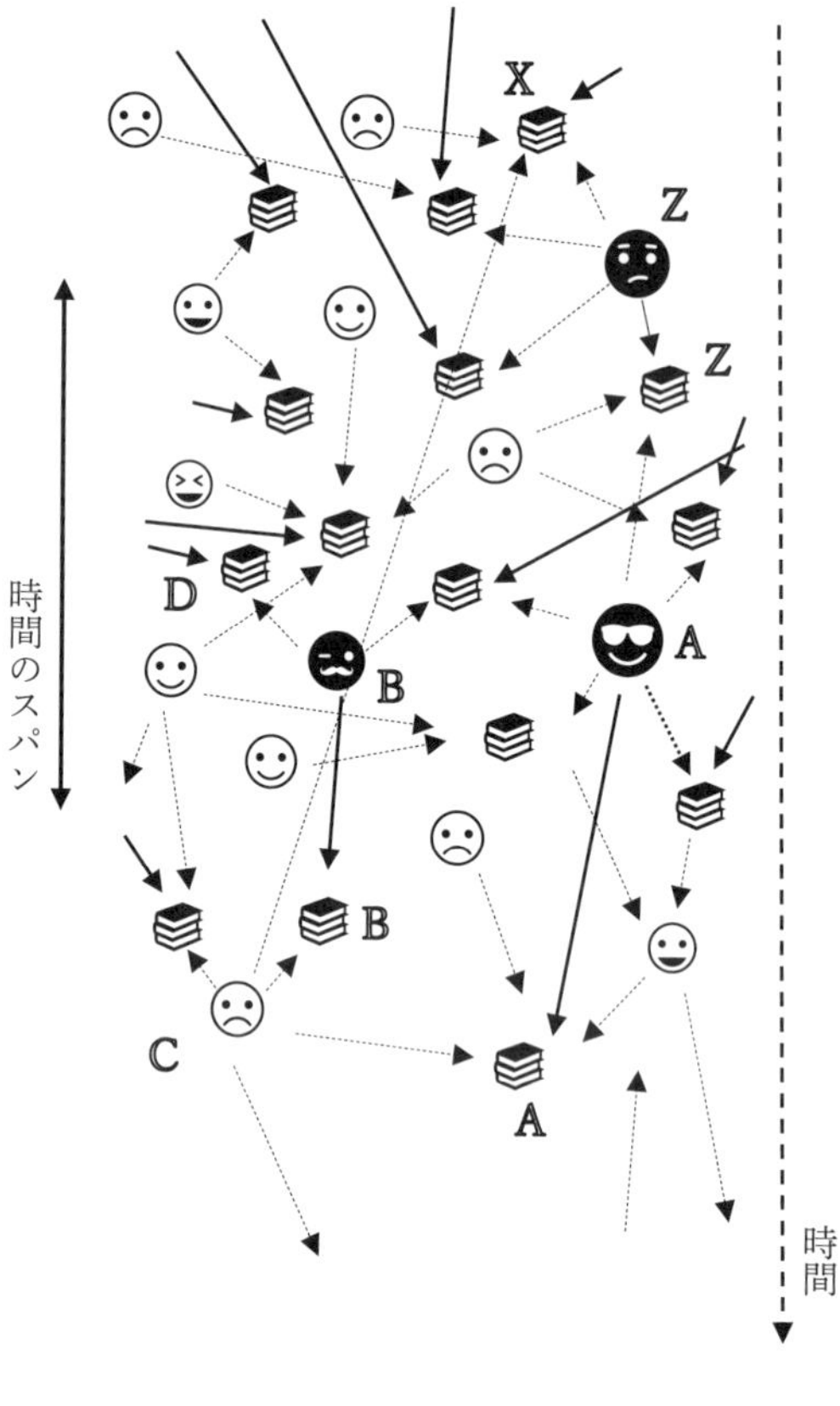

両矢印は、同時代だと感じられる時間のスパン（長さ）を示している。

　矢印が伸びることで人とテクストの間に糸（通路）が出来る。その通路を通るものは何か。それは、「言葉」である。遥か太古から未来に向かって様々な言葉が移動してゆくのであって、テクスト（人・書物）はその通路の結節点に過ぎない。

　厳密に言えば、人は人を「読み」「書き」するので、もっと通路の網目は複雑になる。直接的な知り合いはもちろんのこと、ある人が、見知った人あるいは見聞きした人を描いて伝達すれば、人と人の間にも言葉は伝わってゆくが、この図では、煩雑さを避けるためにその通路は省略した。

作家AとBとは、直接的な知り合いではないが、同じ本を同じ時代に読んでおり、いわゆる同じ時代の空気を共有している。その意味で、AやBのテクストにそれぞれの影響が間接的に入っている可能性は否定出来ない。一方で、Aは作家Zの作品を読んでおり、Zのことをリスペクトしているので、Zからの影響を認めざるを得ない。こうした時、作家の意図（意識）を重視すれば、AとBの関係とAとZの関係は後者の方が強いということになるが、作家の無意識を考えれば、両者の関係性は等価である。

また、読者Cにとって、BやAのテクストを読むことは同時代的行為であるが、テクストXを読むことは、古典として読むことを意味する。だが、読者Cから見れば、三つのテクストA・B・Xの言葉は等位である。

右側の作家Aは、五冊の書籍を読んでいることになるが、これらのすべてを記憶し、テクストAに流し込んでいるとは考えにくい。また、作家Aは間違いなく作家Zのテクストを読んでいるが、そう考えれば、作家Zの読んだ三冊の書籍すべての影響を間接的に受けていることになる。しかし、その影響のすべてが作家Aに意識されているとも考えにくい。つまり、当然のことだが、人はすべての言葉を正確に受け取り次へ渡すのではなく、減衰させたり増幅させたりしている。それも、意識的にも無意識的にも変形させながら、太古から現在に至るまで言葉は流れ続けてきたのだ。

藤子不二雄の漫画には、師匠である手塚治虫の影響が流れ込んでいるはずだし、同時代のライバル（トキワ荘の仲間たちなど）の影響だって沢山存在するだろう。だが、それらの「影響」がすべて意識的になされているわけではないだろうし、たとえば、手塚に影響を与えた漫画家の影響だって必ず受けているはずの藤子不二雄が、手塚に影響を与えた漫画家すべてを知り得るわけがない。我々は、創作時に半分は意識的な行為としてそれを行いながらも、一方で無意識的にそれを行ってもいるのである。

その意味で「テクスト」とは**反起源論**である。テクストと呼ばれるものは、それを生み出すゼロ地点を認めない。テクストを生み出すものは、常に別のテクストである。作家も作品も「テクスト」として見れば、すべて膨大な網目の世界の結節点（結び目）に過ぎない。「テクスト」は**反起源論**であるがゆえに、起源としての「作者」という存在を認めない。「作者」と同様に、その「意図」も認めない。すべては、**関係性の網目の結び目**なのである。

そう考えると、「読者」もまた「テクスト」であることになる。創作行為も読書行為も、結節点から別の結節点が生まれたに過ぎない。結節点がどんな点であるかは、編み込まれている糸（わずかな意識的な「糸」と膨大な無意識的な「糸」）によって決まるのである。

さらに、実線の矢印（書くという行為）に注目すれば、Aが意識的にZから学んだ何かを流し込んでいる時には、意図的な行為となり、その痕跡は**文体（スタイル）**と呼ばれる。一方で、Bのみが読んでいるテクストDからの影響をAは意識出来ることはないが、それでも書くという行為にはそういった無意識なものが流れ込んでもいる。こうした考えによって見直される痕跡を**エクリチュール**と呼ぶ。**スタイル**も**エクリチュール**も、同じもの（いわゆる書記行為）を指すが、芥川のスタイルと呼べば、それは芥川の文体意識（あるいは意識された文体）のことであり、芥川の**エクリチュール**と呼べば、それは芥川の意識的コントロール以外の要素を積極的に読み込んでゆこうとする態度をさすのである。

受容側	作品	テクスト	（書かれたモノ）
創作側	スタイル	エクリチュール	（書くという行為）

「語り手」が一つのテクストから抽出される概念であるならば、**エクリチュール**は、複数テクストから抽出された概念であると言えば分かりやすいだろうか。『羅生門』の「語り手」。『羅生門』『鼻』『地獄変』における「**エクリチュール**」。いずれにせよ、外部の固定化された証拠から抽出された作家像とは大きく異なる概念なのである。

作者も作品も読者もすべてが「テクスト」であるならば、テクストに対する読み方は——方法的首尾一貫性が維持されている限りにおいて——自由であることになる。だが、こうした「テクスト」という概念は、どういった読み方を生み出すのだろうか。

たとえば、夏目漱石の『こころ』をテクストだとみなせば、これをフロイトの精神分析で読むことが出来る。同じく漱石の『満韓ところどころ』を、サイードのオリエンタリズム（民族差別を考察する方法）で読むことだって可能だ。ここで重要なのは、サイードもフロイトも、漱石以後の人間であるということだ。つまり、漱石からすれば、自らの与り知らぬ理論で読み取られることになるわけである。これが許されるには、テクスト論が作家論に対峙できる読み方であることが認められることと同時に、その理論そのものの有効性が充分吟味されていることが必要だ。

実際には、普遍的な理論というのはあり得ない。理論は常に適応対象によって検証され、もし不具合があれば、理論そのものが再考される。こうした営みそのものを、我々は「進歩」と呼んでいるのだ。つまり、適応出来ない対象が生じることとは、織り込み済みの上で、暫定的な理論を提示しているわけだ。逆に言えば、どんな理論も適応出来ない事実が出てくる可能性は常にあるわけで、こうした理論のあるべき姿を、K・ホパーは「反証可能性」と呼んだ。ホパーによれば、「理論」とは常に「反証」出来るからこそ「理論」なのだ。

だから、現在の精神分析の知見が将来誤ったものになってしまう可能性はそれが「理論」である限り常にある。今現在、絶対に正しいと信じられている理論でテクストを読んだとしても、その理論そのものが無効になってしまえば、その論に依った読み方もまた無効になってしまう。最新の理論を適応する場合、そうした点も常に想定しておく必要がある。

だが、もちろん漱石の時代にも心理学と呼ばれる学問はあった。まだ知識人と呼ばれる人々が少なかった明治の頃、漱石のテクストに当時の心理学の影響が全くなかったとは考えにくい。そこで、現在の心理学の知見よりもむしろ、当時の心理学の知見を参照しながらテクストを読解するという方法もありうる。こうした、当時の読みの水準を参照枠としながらテクストを読むという方法も、作家論という方法では不可能であるという意味で、反・作家論の一つであると言える。こうした、当時の読みの磁場を復元する読み方を、同時代言説研究と呼び、厳密に言えば、これもテクスト論の一種であると言えるのだが、一般的に「テクスト論」と称されるものは、こういった手法を含まない。

通常「テクスト論」と言われる方法は、現在の諸学問の知見を参照枠とする読み方を指す。この場合、何の学問を参照枠とするかを選択する必要がある。どの学問を選択すると新たな読み方が提示出来るかは、分析しようとするテクストによって異なる。よって、使える参照枠が限定されているほど、適応出来るテクストの数も少なくなる。

本章では、テクスト解釈に適応される理論として、「言語論（記号論）」「比喩論」「精神分析（フロイト）」について簡単に説明しておく。それぞれの理論は、実際にはそれぞれが独立した理論体系を持っており、それを専門にしている学者たちがいるわけだから、一朝一夕でマスターできるわけではない。だが、一方で「解釈」に適応出来る理論はある程度限られているとも言える。ぜひ、興味をもつことが出来る分野を見つけて学びを深めてもらいたいと思う。文学研究をするからといって、文学（者）に直接関係することと以外を切り捨ててしまうのは、あまりにも狭量な態度だ。文学研究とは、それ自体がテクスト論みたいなものなのだ。つまり、様々な学問の成果が流れ込む結節点が、テクスト解釈なのである。

テクスト論への興味が深まると、様々なジャンルの書物への関心が高まる。本屋や図書館が決まった本を購入したり借りたりする場所から、知のアーカイブへと変化する。それが、真の意味での「趣味は読書です！」という状態であり、その趣味は一生モノの技術になる。鍛えられた知のアーカイブは、人生の随所で君を助けてくれるし、生涯君を愉しませてくれる。知は世界を豊かにする。学びを深めた者にしか分からない景色というものがある。学生のうちにすべき最も大切なことは専門性を極めることなどではない。広大な知のアーカイブ、その歩き方を学び、その入り口に立つことなのだと、僕は思っている。

2 テクスト論アラカルト

言語論（記号論）

解釈学に利用される最近の人文科学系、社会系の学問は、現代思想と一括される思想的潮流の影響下にある。現代思想と哲学は広義の意味では同じだが、「現代思想」とわざわざ名乗る場合、そこには「哲学」との断絶の意識が反映されている場合も少なくない。分岐点となるのは、サルトルとレヴィ＝ストロースの論争辺りからだろうか。サルトルの実存主義は、伝統的な哲学手法に則った、人間の存在様式（人が「いる」とは、モノが「ある」といかに異なるのか）の証明であった。サルトルは、人間がその「意思」によって社会と対峙してゆけるように「成長」出来るのだという希望的観測を捨てなかった。だが、レヴィ＝ストロースは、個人的な思考（嗜好、志向）は、システム（社会）の中で決定されるのだという、システム論を徹底させた。レヴィ＝ストロースの描く社会は、いたってドライである。

①　社会・文化（システム）は、すべて二項対立の組み合わせで表現出来る。
②　どの二項対立もどちらかに優劣を与える客観的根拠は存在しない。
③　だから、ある社会・文化と別の社会には優劣はない。
④　だから、どんな社会・文化に生きている人間の間にも優劣はない。
（なのに、発展した人間と未分化の人間というサルトルの区分はおかしい）

こうしたドライな考え方には、人間個人の意思が社会を変えるのではなく、その社会的システムの方が強い力を持っているというシステム優位論と、人も社会も、記号的（差異の体系）な手法で分析出来るのだという、ソシュールの影響がある。

ソシュールは、言語を記号の一種に過ぎないと考えながらも、言語は人間が社会を理解する道具などではなく、言語が社会の理解を生み出しているのだという考え方を提唱した（**言語論的転回**）。

たとえば、ある生物が三種類に分かれると判断して、誰かが、それぞれに「イヌ」「タヌキ」「オオカミ」と名付けたとする。こういう場合、名付ける前の三種類の生物がいる（ように見える）という判断は、通常疑われることはない。三種類いるから三つの名前を付けたのだと考えるわけだ。しかし、たとえばフランス語には「タヌキ」という言葉はない。タヌキは「イヌ」の一種である。同様に考えれば、大きなイヌとオオカミの違いはさほど明確ではない。もし、「オオカミ」という言葉を知らなければ、それらを「イヌ」と呼んでも不思議ではない。

ここで重要なのは、三種類の動物が存在すると判断することと、「イヌ」「タヌキ」「オオカミ」と三種類の名前が存在することは、原因と結果ではないということだ。三種類の動物が存在するという判断は、三種類の言語が存在しなければ、そもそも頭に思い浮かべることさえ出来ないからだ。

判断や思考そして世界が先に存在し、それに対応する言語（名前）を後から付けるという考え方は、そもそも逆で、そういう言語を習得しているからこそ、その世界を理解出来るのだという考え方を**言語論的転回**という。

我々日本人は、「青葉」「青信号」といったように、現在では「緑」と称すべきものをかつて「青」と表現していた。それは、「青」という言葉の中に今で言う「緑」の範囲が含まれていたからであり、「青」という単語の一部を独立させて「緑」という単語を生み出したのは、もっと後の時代になってからなのだ。「緑」の服に赤い帽子と青いスカーフをしていた人（センス悪いが）を、今ならば三種類の色と表現するが、かつては「青」い服に「赤」い帽子という二種類の色として判断していたのだ。もちろん、正確に言えば、青と異なる色の存在を一瞬認識したかもしれないが、それは表現出来ないのだから、認識から表現の過程の中で、無かったことにされてしまう。言葉が無いということは、結局は認識されないということを意味するのだ。

言語の知覚される部分（「イヌ」という音や、「いぬ」「イヌ」「犬」といった文字）をシニフィアンと呼び、それが意味する内容をシニフィエと呼ぶ。ある言語だけを使用している限りは、シニフィアンとシニフィエはコインの

シーニュ

シニフィアン
（知覚できる部分）
音・文字

意味・イメージ・映像
（意味内容）
シニフィエ

両面のように、くっついて離れないように思われる。この状態をシーニュと呼ぶ。だが、同じシニフィアンでも時代や言語が異なれば、シニフィエは変化してしまう。同じ日本語でも今の「オカシ」は、「面白い、変わっている」などといったシニフィエだが、昔の「オカシ」は「趣がある」といったように、時代が変われば、シニフィエは変わるし、くだらない例だが、「りんご」という日本語の発音のシニフィアンは、英語では「lingo」に相当する音に聞こえて「専門用語」という意味になる。シニフィエとシニフィアンの結びつきには何の必然性もない恣意的なものなわけで、両者の結びつきは意外と弱い。だからこそ、一定のシニフィアンは、一定の意味を封じ込めることは出来ないのだ（**記号の恣意性**）。

世界の理解に言語が対応している（言語道具観）のではなく、言語の在り方が世界の理解の根本なのだという考え方（**言語論的転回**）は、それまでの哲学の在り方に大きく変更を迫るものであった。世界は複雑怪奇極まるもので、それを単純な言語で理解してゆくためには、言語運用能力を磨かねばならないというのが、これまでの哲学の考え方であった。だが、実は言語は、単純なしくみで複雑なものを示すことが出来る記号システムだ。記号が単純なしくみで出来上がっているのならば、世界も単純な原理の組み合わせで出来ているに違いない。言語を解体することは、世界の謎を解くことに繋がる。こうした言語汎用論として、ソシュールの言語学は、言語のしくみで世界を理解する記号学として受け入れられたのである。

記号というのは、言語も含めて、すべて恣意的なシニフィアンとシニフィエの結合体である。また、ある記号がある意味を持つ根拠は、他の記号とは異なるという理由でしかない。↑が←と異なるのは、向いている方向の違いだし、○が●と異なるのは、白いか黒いかの違いでしかない（差異の体系）。

「あ」という発音は人それぞれによって異なる。澄んだ声の持ち主。ガラガラ声、かすれ声など様々だ。だから、「あ」の意味内容（この場合、発声音）で「あ」を定義することは非常に難しい。結果、

「あ」の定義は、日本語の中で、子音ではなく、「い」でも「う」でも「え」でも「お」でもない音と定義するしかない（記号の否定的定義）。

記号的認識とは同じか違うかという二項対立でしかない。もし、言語が記号であるならば、世界は二項対立という非常に単純な原理で出来ていることになる。レヴィ＝ストロースがこれを応用した文化人類学で描いた社会システムも、西洋からは未開社会とみなされている社会の婚姻構造が、西洋が千年以上の月日をかけて辿り着いた高等数学の写像の理論で記述出来るというものであった。

「現代思想」という言葉が一般化してくる一九八〇年代の文化を、一般的に八〇年代記号文化と総称する。具体的には、漫画（アニメ）、アイドル、プロレス、テーマパーク、オタク文化、マニュアル文化などを指すが、こうした文化はどれをとっても記号的だ。どれも、実体の代替（記号）でしかないが、代替を代替のまま本物を問わずに愉しんでいる。「本物」のミッキーに会いにディズニーランドに行くわけではないし、そもそも「本物」のミッキーとは何であろうか。我々がアイドルに見たいのは、作り込まれた偶像であるわけで、そのアイドルの「本当」の人間性を知りたいわけではない。プロレスのルールにどこか矛盾を感じながらも、そこで演じられる疑似格闘技にファンは夢中になる。

また、記号の世界の住人は「キャラ」と捉えられるが、キャラクターの違いは記号的差異でしかない。ミッキーとミニーの違いはわずかの線の引き方であり、八〇年アイドルの各個性は、松田聖子という中心との差異で捉えることが可能だ。二章で説明した文学理論も、この時代までに確立し輸入された手法だが、これらの手法の多くが、記号的世界観により構築されていることに気がつくだろう。

こうした八〇年代の文化・研究状況から理解されるのは、現実から記号が生まれているのではなく、記号から（疑似）現実が生み出されていることであり、それは、単なる逆転現象なのではない。

コンピューターが生み出す、映像や音楽は日々進歩しており、今では本物との差異を感じられないほどだ。だが、どんなに本物に近づいたとしても、そもそもコンピューターの提供する世界の大元は、「0」と「1」という単純な二種類の記号でしかない。だが、それを本物だと我々が感じることが出来るのは、どんな世界であっても我々が最終的に記号を現実に変換（置換）して理解するからではないのか。いや、この言い方は誤解があるかもしれない。我々にとって、世界とは言語（記号）そのものなのだ。たとえば、目から入ってくる情報が、本物であるか偽物であるかの差は、受け取る側にとっては同じことで、大切なのは我々の裡にある記号として感じることとしか出来ない世界の方なのだ。悲しいものが現実であるか記号であるかが大事なのではなく、「悲しい」という感情がわき上がったのは、対象が悲しい記号として認識されたことを意味するのである。そうなのだとすると、元が現実である場合は現実を記号に変換する手間があるが、元が記号であれば記号に変換する必要がない分、より記号的認識が楽になるとも言える。おそらく、人が現実的な出来事よりも記号的な世界に没入することがあるのは、そういった理由が背景にあるのだろう。人間が記号の世界に惹かれるのは、よく言われるような現実からの逃避などではなく、人間にとっての「現実」の本質が記号だからなのだ。

八〇年代の記号文化と記号論の共通点は、現実から記号世界への反転ではなく、記号世界こそが現実なのだという考え方にある。また、九〇年代以降の現代文化の場合、創作側もこの記号論の考え方を踏まえている点も重要である。たとえば、拙書『トランス・モダン・リテラチャー』（ひつじ書房）で扱った小説「運転士」（一一章、以後〇章は同書で扱った章を指す）の主人公は、時間に管理された数字世界を快く感じる人物で、自己の職業などの選択においても常に否定的な要素をあげながら思考を詰めているという点では、非常に現代的（記号論的）な若者である。

また、環境を変える度に、自分のキャラクターを周囲とのバランス（差異）の中で意識的に捉えている今の若者像なども、記号論の時代が生み出した姿であると言えるだろうし、そうした像は今となっては単なる記号ではなくリアルな世界そのものなのである。

ソシュール　言語は記号である
言語の恣意性（シニフィアンとシニフィエの可変性）
言語の差異性（他との比較でしか意味をなさない）
言語の否定的定義（記号は消極的な関係性の結果）

↓

記号論　世界は記号である
記号の反実体性（言うまでもなく記号は代替）
記号の本質性（記号こそが現実を生み出す）
記号の汎用性（すべては記号の問題として考えられる）

言語論――比喩・ヴィトゲンシュタイン・コミュニケーション

言うまでもなく、言葉と言葉が繋がって「物語」が出来上がるのだが、その物語を構成している要素は、動作（…する）、変化（…になる）、描写（…である）の三つであることは以前に述べた。

愚者　勇者

愚者→（変化）→勇者

起床　朝食　　　起床↓（動作）↓朝食
賢さ　美しさ　　賢さ↓（描写）↓美しさ

よく批判の言葉として使われる「話が分からない」というのは、どういう状態なのだろうか。純文学などによくありがちな「描写」に力点を置いている小説。こうした物語は、「変化」や「動作」を求めようとする読者には特に評判が悪い。つまり、粗筋を抽出してみると、何が面白いのやらよくワカラン。という評価なのであろう。純文学に慣れるためには、物語のスジ（話の内容）よりも、その描写自体に関心を寄せる必要がある。

ならば「変化」「動作」とは何を描いているのだろうか。一般に多い「変化」には「成長」があげられる。「成長」の一つとして「凡人」が「英雄」になるという事例を考えれば、「英雄」**になる**過程に重きをおくことになり、「変化」が問題になる。一方で、決闘**をする**部分などに注目すれば、動作が問題になる。つまり、「変化」「動作」とは同じ面を違う側面から見た様相の違い（アスペクト）であり、お互いを排他的にするような排中律としての分類（クラス）ではない。これらはどちらも時間が必須であるという点では共通している。つまり、「走れメロス」を、メロスが英雄**になる**話と捉えても、メロスが王との約束**を**果た**す**話と捉えても、両者の読みはお互いの読み方を排除したりはしない。

たとえば、同じ人物の子供の頃と大人の頃の二つの出来事が描かれていた場合は、その二つを「成長」（…なる）物語として把握するし、同じ人物の敗北と復活そして勝利が描かれていれば、そこに「復活」（…する）という物語を読み込む。通常、我々は、二つ以上の要素（断片）を時間の概念とともに把握する時に、その要素間に「物語」の存在を仮構しているのだ。

ある出来事がそのまま完全な形で語られるということは原理的にはあり得ない。出来事を語ることは常に選択が伴うわけで、何かを語る時は常に別の何かを語ってはいない。かと言って、時間を巻き戻して、語り忘れたものをいちいち語り直していたら、何万文字書いても物語が終わることはない。

物語とは、常に断片的情報の集積である。

だが、ここで問題なのは、物語の要素が「断片」であることではなく、どういった法則で「断片」同士が繋がれている時に、それらを単なる「断片」ではなく物語としてみなすのかということである。

A　朝起きた→B　朝食を取った→C　歯を磨いた→D　家を出た

これらの四つの断片は、時系列の出来事である。もちろん、AとBの間には、（蒲団から出る、トイレに行く…etc）様々な出来事が想定出来るが、それらはすべて省略されている。また、物語によってABCDの順序はしばしば入れ替えられる（学校に行きながら、今朝の出来事を振り返る場合など）。さらに、過去のトラウマのシーンなど、何度も同じ場面が描かれることもある。

AからDまでのどのシーンを長く（細かく）描写するかという点についても、物語によって濃淡（長さ）は異なる。このように、一口に断片化と言っても、どう断片化しているかは、「長さ」「順番」「頻度」の変更を伴って、様々な結果になるということが分かる。

そして、何よりも、このような断片化した結果（**プロット**）から、それ以前にあった（と想定される）、時間軸を我々読者は、想像せざるを得ない。このように、読書行為（結果）から読者の頭の中に構築される時間像のことを「**ストーリー**」と呼ぶ。

プロット（書かれたままの形）→読書行為→**ストーリー**（頭の中での再構築）

よって、**プロット**の抽出は、粗い細かいの差はあるものの、同じテクストを読んでいるわけだから、誰がやっても同じ結果になる。しかし、**ストーリー**の抽出は、それ自体が「解釈」ということになる。そして、**通常、断片の間を埋めるものは、通常の時間感覚（クロノジカル）と因果関係である。**

「断片」の繋ぎ方
①時間関係
②言い替え（積み重ね）
③因果関係

①の時間関係とは、AとBとの間に時間的な前後が確定している場合、その両者の隙間に時間の流れが発生するという意味で、AとBは同じ世界線の上にある必要はあるが、特に何かしらの関係性は必要ない。②は、主に描写や説明に関わる事項で、たとえば、眼前の美しい景色を説明している場合、映像ならばその景色を提示すれば済むが、文字の場合は、ある言葉と別の言葉は同時に提供することは出来ず、どうしても順序（つまりは時間）を生じさせる。「美しくて雄大な景色」「雄大で美しい景色」、どちらにせよ伝わる情報は同じであるし、この程度の順番の差が情報伝達の時差に繋がるわけでもない。さらに、通

常の風景描写などは、情報の順番（つまり情報伝達されている間の時間）を問わず、結果的には物語の持続時間はゼロと考える場合も多い。

比喩的に言えば、物語時間の流れを生じさせる情報が複数提示されれば①、物語の時間は動かず描写情報が複数提示されれば②となる。もちろん、①と②を無理に分別する必要はないが、「美しい日本の私」と「日本の美しい私」は、伝わる情報が同じであっても、結果としての解釈は必ずしも同じにはならない。

③は、我々がそこから物語を感じる可能性が一番高い場合である。Bが「朝食を取らなかった」となって、Eとして「学校で倒れた」が付け加えられた場合、BとEには、因果関係を感じる読者も少なくないはずだ。因果関係を認定するのは、あくまで読者なので、最初から（つまりは作者の意図として）想定されていた断片間の因果関係がすべての読者に生じるとは限らない。たとえば、苦しい鍛錬の描写と、難敵に対する勝利の場面の間に因果関係（努力して鍛錬したから敵に勝てた）を感じられるかどうかは、読者次第ということになり、「から」という接続に違和感を感じる（努力したからって強くなるとは限らないよね…etc）のであれば、それが物語そのものへの違和感の原因となる。

国語の時間に我々が「論理」として捉えているものは、以上のような因果、等価（言い換え）、クロノジカル（時間感覚）によって成り立っていると言ってよいだろう。だが、時間が一方向に直線的に流れるという感覚は、近代的な時間感覚であり、そもそも近代以前の時間は回転するものだったのだ。幻想文学や多くの現代文学では、こうした時間的な前後関係や因果論的な関係性に揺さぶりをかけてくる。こうした思考の根底を揺るがすような問いの立て方を、**自明性に揺さぶりをかけるという。**自明性批判は、近代文学（特にポストモダン文学）にとって重要な要素である。

では、断片と断片との間に通常あるべき理論が崩壊してしまっている場合。それでも物語がアトム化（断片がバラバラになること）しないのはなぜだろうか。それは、多くの場合、言葉の法則性がその紐帯となっている。

断片の間が通常の論理（クロノロジカルな時間感覚と因果論的な感覚）で説明出来ないとき、普通ならば、意味の分からない断片の集積となってしまう。だが、分からない（理解出来ない）にも拘らず魅力的な作品とは、個々の断片化が不思議にアトム化しないで成り立っているものなのだ。

その不思議な紐帯の役割を負っている「言語的法則」とは一体何か。以下の、単語Aと単語Bという二つの言葉の関係性が基本だ。

A　起床　↓（そして）↓　B　登校

A　不勉強　↓（なので）↓　B　単位を落とす

A　体重百キロ！　↓（つまり）↓　B　デブなのだ

最初の例は時間的な接続、二番目のものは因果論的な接続、最後のものは同義的言い替えになる。それぞれに、想定される（接続詞）を入れてみた。

A　落とした単位をまた落とす↓B　落度がある性格は昔からだ
↓C　昔からすべき勉強の前日には寝落ちした

この三つの断片は、時間的な前後関係が崩れているし、論理的（因果論的）関係性もない。だが、この三つは、それぞれの言葉の最後が次につながり、A→B→Cは循環している。さらに、それぞれの断片は「落」という単語を共通して使用している。こういった、接続によって結ばれていることを「言語的法則」と呼んでいるのだ。これらは、同音の反復（韻）、同イメージ（同語）の連鎖と呼ばれる接続法である。また、同じイメージを重なるだけではなく、同じイメージパターンを反復するという方法もある。上昇イメージと下降イメージを繰り返すなどという方法だ。

このような、接続法は詩的言語の中では許容される（むしろ、推奨すらされる）が、日常的な言語ではあまり使用されず、むしろ、日常的な言語では論理的な接続性の方が重視される。だが、こうした感覚が国語の「論理」から文学を追放するという考えを生み出しているのであり、その問題については一章において既に論じた通りである。

こうした言語（文学）的な接続の中で、最も使用頻度が高いのが**比喩的**なそれだ。比喩とは、AとBの二つの異なるものを接続する時に使用される技法だ。

太郎は豚である。

という文章で、太郎という名前の豚のことを述べているわけではない場合、「豚」とは太郎の形状の比喩である。比喩を使って、異なる二つのものを重ねる時にも、類型的パターンがある。

①　共通点　　類似性比喩　　目玉焼き　鯛焼き
②　全体が一部　内包性比喩　　パトカーに捕まる
（捕まえたのは、パトカーの中の一部＝人）内→外
③　一部が全体　外延性比喩　　たこ焼き
（たこは、たこ焼きの一部）外→内
④　文化習慣的に近い　近縁性比喩　　きつねうどん
（きつねは揚げが好き（なことになっている））
⑤　種類　　類縁性比喩　　朝ご飯にパンを食べた
（ご飯は朝食べる種類のものの一つ）

これらは、普通の「理論」では接続し得ないイメージ同士を接続可能にする。本来は、言語に内在した機能なのだが、日常言語では、時系列や論理を重視するがゆえに排除され、詩的言語（文学的言語）が主戦場となって使用される。

詩歌や幻想文学などの文体では、通常接続し得ないイメージが結びつけられていく。それらが時間的・論理的に不自然であったとしても、理解可能なのは、こうした言語学的（比喩イメージ）による説明で理解出来るところが多い。

また、言語学（コミュニケーション学）の成果を文学を読むという行為で考えてみることも出来る。かつて、ヤコブソンは、コミュニケーションに不可欠な六つの機能を左図のようにまとめた。

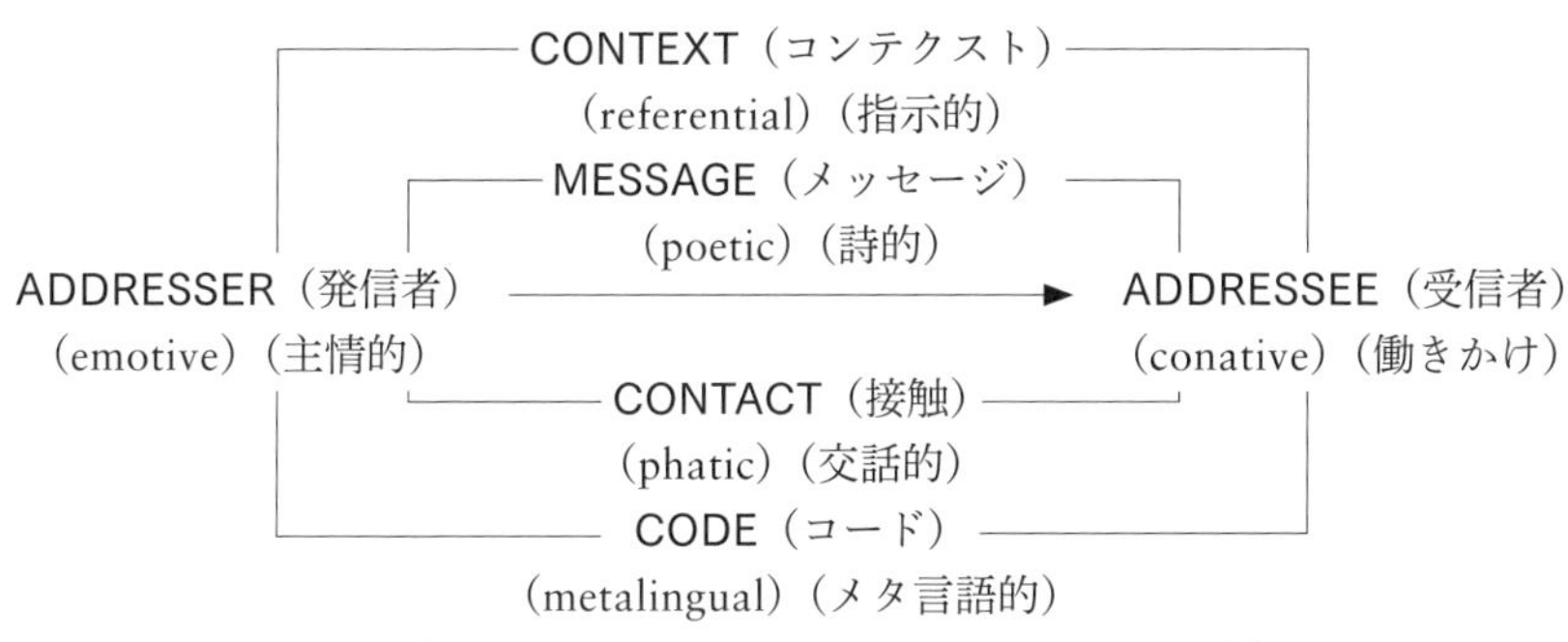

ヤコブソンによるコミュニケーションの６つの要素

ヤコブソンが想定しているコミュニケーションは、必ずしも言語的なそれを想定しているわけではないものの、やはり言語をその中心に据えている点は否めない。しかしながら、そうだとしても、この図式を文学（文字コミュニケーション）以外の図式で考えることの有効性は大きい。

特に、重要なのは、**コンテクスト**の生成過程だと思われる。**コンテクスト**は、コードの種類や性質を規定する。元々は、ソシュールの「ラング」に相当するものとして考案されたようだが、「ラング」に比較すると、コミュニケーションそれ自体がルールを変更してゆく様相の方が強く意識されている。

我々は、ルール（文法）が先にあって、それに従ってコード（記号）が使用されることによって、コミュニケーションがなされていると考える。しかし、ヴィトゲンシュタインによれば、本当の事態は逆だという。

たとえば、ローカルルールが適応されている子供たちの「遊び」に、引っ越してきた子供が新規参入する場合。その子供は、すべてのルールを先に教わり理解してから、「遊び」に参加するのではない。そういった理解などは曖昧なまま、とりあえず「遊び」に参加して、「遊び」を遂行しながら（時にはルール違反などをしながら）ルールを体感してゆく。こうしたコミュニケーションの様相を、ヴィトゲンシュタインは

「ゲーム」と喩えた。

芸術作品には、それまでのルール（コンテクスト）に依存して出来上がっている部分と、そのコンテクストから逸脱しようとしている部分がある。そのコンテクストが現在から見て不明である場合は、当時支配的であったコンテクストを復元してみることの意義は大きい（小文字の歴史）。また、芸術作品は、そのコンテクスト自体を更新させようとしている点もあり、そうした点を我々は、「オリジナル」と評価している。だが、既存の「コピー」を全く含まない芸術というのも考えることは難しいので、我々はその作品が提示している「コピー」からコンテクストを読み取り、そしてそのコンテクストから「オリジナル」の有無を判断している。

もう少し分かりやすく言うと、ロック音楽と銘打っているからには、そこには聴衆が「ロック」であると感じる要素（ルール＝コンテクスト）が含まれている。聴衆はそこから、その音楽が「ロック」であると認識して、その「ロック」の範疇で、何が新しいのか（オリジナリティ）を考える。もし、その音楽がまね（コンテクスト）を全く含まないのであれば、聴衆はその音楽が何なのかすら理解出来ない。だからこそ、重要なのはそのコンテクストの歴史的過程を理解することなのだ。

このように、文学は言語芸術なので、言語学の成果は解釈に寄与するものが多い。色々学んでみて欲しい。

精神分析批評

精神分析は言うまでもなく「医学」だ。脳に病気や外傷が見当たらないのにも拘らず、言動に異常性が見られる場合の「治療法」であった。だが、自己の判断が理性に基づいていると信じていた西洋人たちにとって、フロイトの「無意識」の発見は大きなショックであった。そもそも、西洋由来の「近代人」（＝「人間」）の条件には、理性（理論・論理）的であることが必須である。そんな西洋人にとってみれば、自分たちの判断の根底に非理性的な領域があるというのは、なかなか認めがたいことであった。

「無意識」という翻訳がそもそも誤解を生みやすいが、意識の背後にあると想定しているわけだから、それは「無」ではない。つまり、我々の意識的判断は、完全に自律したものではなく、別意識とでもいうべき領域の影響下にあるというのが、フロイトの重要な発見であった。

フロイトの思想は、日本では昭和初期に二つの出版社から刊行された全集によって広く知られてゆくことになる。それは異常行動を脳の疾患であると考えていたそれまでの心理学とは、「治療」の方法を大きく変容させた。ただし、フロイト以前（日本の文脈で言えば、明治から大正）にも、心理学はあったわけだから、心理学をテクスト読解に適応する際には、そのテクストの同時代の「心理学」を想定するのか、それともフロイト以後のそれを適応するのかという点は、同時代言説研究もしくは狭義の意味でのテクスト論なのか、という選択に繋がる。

作家の位置から考えてみた時にも、フロイトなどの心理学を知った上で意識的にそれを「使用」しているのか、それとも創作の際に知らずに無意識の様相を反映してしまっているのか、この部分の見極めは重要である。もし、その作家が、心理学を学んでいるのであれば、心理学を適応した読解は、そのまま作家論（作家の意図）に過ぎないからだ。

一般的に、心理学は作者の意図の深層構造を見ようとするものなので、作者自身が心理学を知らない場合の方が適応しやすい。だが、考えてみれば、この問題は、読者を考えてみても同じなのだ。心理学を知っている読者を想定するのか、読者たちの深層構造を心理学で見出すのか。ここもまた選択になるからだ。そして、この選択の問題は、文学理論が知られるようになった後の現代小説にとっては、どの理論でも同じ事態が生じる。たとえば、構造主義で読む手法が有名になれば、創作者がその理論を学んで創作する事態が起こる。「スターウォーズ」などは、その有名な事例だ。だから、「スターウォーズ」を構造主義で考えることは、少なくとも、テクスト論あるいは反・作家論として機能することはない。

フロイト心理学では、人間の「**欲求**」と「**欲望**」を区別する。「**欲求**」は動物であるならば、生まれた時点から埋め込まれている。赤ん坊は生まれた時から、誰に教えられることなく、乳を求め、寝て、排泄しようとする。食欲、睡眠欲、排泄欲のようなものは、すべての動物に存在している。だが、「**欲望**」は、「**欲求**」の具体的な実現の仕方に関わっている。何を食べて何を食べないか。どんな時にどんな条件下であるならば、排泄する／しないのか。こうした、「**欲求**」の具体的な実現法は、それぞれの文化によって決定され、文化内で「伝達」されてゆく。

たとえば、「食」という「**欲求**」は動物として所与のものとしてあるが、その具体的な実現方法（何をどうやって食べるか／食べないか）は、文化によって決定される。海外では卵を生の状態で食べることをしないが、日本では生卵を食す文化がある（だから卵かけご飯などが存在する）。それ以前に、鶏卵を食しない文化圏も存在する。人は、美味しいから、健康にいいから、などという理由で食べるのではない。ある文化圏における無根拠な習慣の繰り返しが、その食品を美味しいと感じさせるようになるのだ。

フロイトは、「**欲求**」に相当するものを「**エス**」と名付けた。「**エス**」は単なる「**欲求**」なので、具体的な形を持たない。具体的な形は文化が提供する。「**欲求**」を実現するには「**欲望**」という形を与えなくてはならない。ただし、この「**欲望**」は無根拠に生じる。どの「**欲望**」が支持を受けて、どの「**欲望**」が忘れ去れてゆくか。そこには法則などはない。結果、ある地域ではコオロギが御馳走になるのに、別の地域では、食べ物とすら認定されないということが起こる。だが、コオロギをなぜ食べないのかという質問に、コオロギを食する文化をもっていない人は、合理的に答えることは出来ない。

フロイトは、こうした「欲望」を形作る力を「超自我」と呼んだ。つまり、自我（意識）は、文化的に集団的に生み出される「超自我」と欲求に基づくエスという二つの無意識の間にあるのだ。一般に、欲望と欲求は混同されているので、世界は欲望のまま生きることを肯定しない。キリスト教では、七つの大罪の中に「淫蕩」や「貪食」をあげている。だからこそ、西洋社会では、性や食を節度ある形にコントロールしようとする。つまり、どのような時にどのような形で、性が許容されるのか／されないのか、というのは、文化的決定事項なのだ。それは、エロいとかエロくないとかいう感覚そのものが、無根拠であることを示していると同時に、人間の欲求はある文化システムに参入しないと充足されないことを示している。

こうした知見を解釈に適応しようとするのが、「精神分析批評」の手つきであるが、具体的な適応例は、拙書『トランス・モダン・リテラチャー』（ひつじ書房）の各論を参照されたい。

ところで、フロイトには、多くの弟子がいたが、その中でユングとラカンは、精神分析批評の文脈においても参照されることが多い。ユングの原型理論（タイプ理論）は、（結論の方向は真逆であるが）構造主義的な手続きと重なる部分が大きいし、ラカンの理論はテクスト読解の実践に多くの示唆を与えてくれる。

フロイトは、人間が生まれてくる前は、その母親の身体の一部であったこと、またその時にはまだあらゆる自己像（自己認識）をもち得てはいないことに注目した。我々は、自らの姿をすべて目で直接的には認識できない。目で目を見ることは出来ないし、後頭部や背中など目では物理的に見ることが出来ない部分も沢山ある。だが、こうした部分を含め、自分の全体像を「知っている」ような気がするのは、他者の像を見続ける経験から得た想像の産物なのだ。

　ラカンは、この他者の像を「**鏡像**」と呼んだが、それは「鏡」に映った像という意味ではない。我々は鏡などない文化圏に生まれても自己像を手に入れることが出来る。他者A、B、Cと次々と新たな他者を「見る」経験によって、それらの他者と己が認識できる身体（たとえば、手足など）に共通点があることを知る。そこから、AもBもCも、そして自分も同じデザインの身体部位を持っていることを知る。そして、自分には見えないが、AもBもCもある共通点があることから、自分にもおそらく同じ要素があるのだろう、という類推を働かせることになる。これが自己同一性の根拠となるのだが、逆に言えば、人間の自己同一性の根拠とは、単なる類推であり、確固たる理由（経験）があるわけではない。しかし、そうした脆弱な基盤を忘れることで、我々は昔から……であったという過去からの連続性を、起源そのものを捏造する。だが、捏造とは言っても、それは他者の存在なしにはなし得ないものであり、それ以外に方法がないものである。そして、何よりもそれがなければ、自己同一性を確立することは出来ないのだ。

　こうした人間にとって必須でありながらも、脆弱な基盤（原型）の在り方を捏造する過程を、フロイトは**エディプス期**と呼び、ラカンは**鏡像段階**と呼んだ。人は、その由来が脆弱だからこそ、その脆弱さそのものを忘れようとする。精神分析の治療では、この脆弱さを知ってしまうことにより生じる存在不安を、トラウマと呼び病気の原因と考える。精神分析の批評では、こうした自己の確立過程のドラマを、可視化して読み込もうとする。

テクスト論の射程は広い

他に、テクスト論としてよく適応されるものとしては、ジェンダースタディーズの成果、オリエンタリズム、ニューヒストリズム、オートポイエーシスとしてみた環境論（動物倫理）の成果などもあげられる。だが、これらの詳細は、先の精神分析も含めた形で、稿をあらためて論じようと思う。

最後に、テクスト論が陥りやすい問題をいくつかあげておく。まずは理論を説明もせずにいきなり使用するケースだ。読者にある程度のリテラシーが想定されかつ紙幅に制限がある論文の場合ならばともかく、ゼミ（演習）の場では、やはり自分の使用する理論を知らない相手を想定して説明しておく手続きは絶対に必要だ。説明することは、自分の理論の理解を客観視することに繋がるし、理論を知らない相手を単に幻惑するのではなく、対等に議論するという意味でも必須である。

また、自分の使用する理論のデメリットをよく理解しておくことも大切だ。今まで随所で述べてきたように、万能な理論などは存在しない。たとえば、読者論で考える場合、ある読者を想定することは、手続き上では必須ではあるが、一方で別の読者の存在を抑圧していることを充分理解しておく必要がある。差別を扱う理論では、特に目的は手段を正当化したりはしない。ある民族差別の告発が、別の性差別を抑圧していいということにはならないからだ。

さらに、理論を文学の表現に適応させること自体を目的とすることも注意が必要だ。テクスト論で応用される理論のほとんどが、そもそも文学の解釈のために生み出されたものではない。理論はあくまでも現実の問題と向き合っている。それを文学（創作）の世界に適合させても、それは文学（創作）が良く出来ているとか、理論が現実のみならず創作の世界までも説明し得るほど優れているとかいう結論にしかならない。

だが、ある理論が創作で検討された時、その理論自体が再考されるようなフィードバックが得られたのだとしたら。それは、理論にとっても大切なことだし、だからこそ現実ではなく創作に適応する意味（意義）があるのだと言える。それは、現実適応より前になされる「実験」として、という意味ではなく、創作とは、ある目的のために、現実世界よりもノイズが消去された世界であるという一面があるからだ。

現実世界は、常にノイズに満ちている。たとえば、ある差別に基づいて世界を見渡しても、差別に抵触すること、差別に抵触しないこと、見えていない差別、明らかな差別……ときりがない。当然だが、ほとんどの事項は差別には関係ないことであるかもしれない。世界は差別のために出来ているわけではないからだ。

しかし、創作には、○○のために創り出されるという面がある。「差別」というテーマをもった作品であるならば、差別の問題を効率よく伝えるために、他の要素（ノイズ）が削られても不思議ではない。その意味で、創作には、現実世界よりも「純粋性」が強いという面があるのだ。だからこそ、理論を適応しながら、創作世界を分析する意義があるのだ。

もちろん、一方で、論理によって、その創作が「よく出来ている」という面が「証明」されることを全面的に否定するわけではない。理論は、論理的言説に属するが、創作は文学的言説だ。これらを「説得力」「影響力」という点で考えれば、後者に軍配が上がることは少なくないことは、これまでも再三論じてきた。差別に関する理論よりも、差別をテーマとした文学が影響力を持つことは、単に言説の優劣を証明することではない。力のある言説であるがゆえに、その言説が発生させてしまう別のメッセージ（解釈）を批判的に検討しつつ、そのテクストの功罪を明らかにする。

分析されるのは、文学テクストだけではない。それを支持する人たちがどんな構造に反応し、結果としてどんな抑圧構造を発生させてしまったか。また、発信者（作者）が、意図的に発信したメッセージが、称揚すべきものであるならば、それが受け入れられた理由、そうでなければ、それが伝達に失敗した理由などを、テクストの構造から考えることも大切だ。同時に、発信者が意図しないようなメッセージが発生してしまった理由を考えることも出来る。

テクスト論では、「作家」→「作品」→「読者」のすべては、結節点としてのテクストになるので、特定の点に解釈の責任を問うことはない。むしろ、解釈とは、解釈行為から事後的に発生する「現象」であると考えるので、その現象には、それぞれの結節点のもつ構造が複雑に絡み合う複合的な理由が考えられる。その一端を明らかにすることも、重要な研究になるはずだ。

3 実践練習のために

本書でこれまで論じてきた「方法」は、あくまでも「公式」を述べたに過ぎないので、「公式」を会得するためには、練習問題を沢山解くしかない。その積み重ねが、「公式」の選択や適応の仕方の勘を養うのだ。

文学研究の場合、最も効率的な訓練の場は、演習系の授業だろう。自分が発表する時は言うまでもないが、他人が発表する時にも学べることは多い。むしろ、他人の発表時にいかなる準備で授業に臨むのかが結果に繋がるのだ。もし、発表者が使っている補助理論が理解出来なければ、レジュメに記されている参考文献を使って学んでゆくべきだろうし、もちろん時間が許す限り、その理論そのものを質問してもいい。理論を知っていることが偉いわけでも、知らないことが恥ずかしいわけでもないからだ。

さらに、自らがテクストの予習時に考えた疑問やある読み方の提案が、もし発表レジュメで扱われなかった場合、そこを質問してみるのも有効だ。文学研究に限らず、「研究」であれば通常左のような形をとる（論理研究の三角形）。

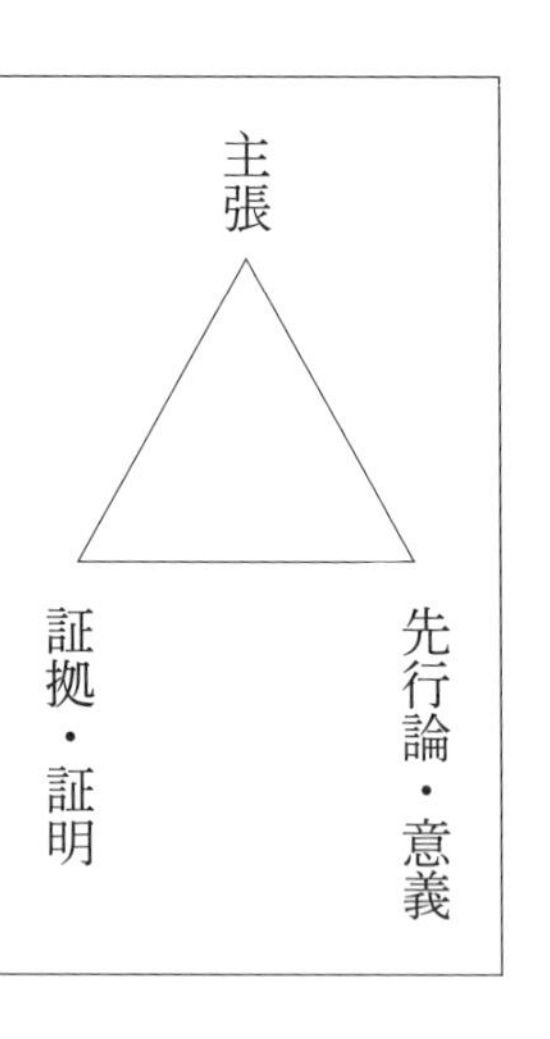

基本的に、先行論の整理がないものは「研究」ではない。ある課題を誰も研究していないのは、研究する価値がないからだ。もちろん稀に、誰にも研究されていない有用な研究課題も存在する。だが、その場合はその研究の「意義」が説明できないとだめなのだ。文学研究の「意義」とは、その解釈により何が明らかになってその結果、どんな意味があるのかということだ。つまり、単に……とも読めるでは「研究」の「意義」はなく、そのような読み方がされていなかったことから、ある種の差別の隠蔽の構造を指摘したり、人々が支持する読み方から大衆的な無意識が内包している問題点を指摘しようとする意識が重要なのだ。
先行論の集め方は、もはやネットの利用無しでは語れないだろう。CiNii、国文学研究資料館の国文学

論文データベース、国会図書館の雑誌記事検索あたりから始めて論文を集めてゆく。首都圏在住であれば、直接コピーを取りに行くことも可能だが、最近では多くの図書館や資料館でもネットによる論文コピーの請求が可能になっているので積極的に利用してもらいたい。

論文は単独であるよりも雑誌や書籍に収録されていることが多く、雑誌には大学や研究団体が刊行している**紀要**、出版社による**研究誌**、学会が刊行する**学会誌**などがある。雑誌以外の形で論文が集まった形のものを論文集と呼ぶが、こちらの形式は単行本と呼ぶ。単行本にも、ひとりで書いた**単著**、何人かで分担して書いた**共著**などがある。単行本に関しても検索するのであればネットで構わないが、コピーをとることが出来る大学図書館や公共図書館（県立図書館や国会図書館等）のサイト、さらには入手することが可能な大手書店の総合検索サイト、古本屋検索サイトなどを利用するとよいだろう。

論文のコピーをとる際には、必ず奥付（通常は最後の方のページに印刷されている書誌情報）もしくは雑誌の表紙のコピーをとっておき、出典情報が明確になるようにしておくこと。出典情報とは、著者名『書名』出版社、○○年○○月、●巻●号といった情報だ。雑誌の場合、一年間で一巻とすることが多く、たとえば刊行されて四年目の雑誌は四巻、四月に臨時増刊が出てから通常の四月号が刊行された場合、四月号は四巻五号になるし、年間の最後は四巻一三号になる。もちろん、単行本の場合、最後の●巻●号といった情報はない。

先行論の乗り越え方は、以下の四つが考えられる。

① 先行論にないから、俺が言う（新しい読みの提案）
② 先行論に同意するが、俺が一部修正してやる（修正）

③　先行論に文句はないが、もう少し補強、補完してやる（補完）
④　先行論は間違っているから、その間違いを言ってやる（間違いの指摘、理想的には①が必要）

新しい読みが提案できれば理想的だが、いつもそれが可能であるとは限らない。場合によっては既存の読み方の修正や補完に終始するしかないこともあるだろう。ただ、論の中にはテクスト全体に対するもの以外に細部の読み方に言及している箇所もあるはずで、それらすべてが修正や補完になっているようでは、優れた論（発表）であるとは言い難い。よって、解釈学の場合、左のような形が理想的である。

テクストの全体（あるいは細部）について
①　……というような読み方が一般的であるようだが、実は
②　……とも読むことが出来るのではないか
③　それは、……という理論による
それは、……という証拠による
④　そう読むべきなのは、……だからだ。

③の前者はテクスト論として何かしらの理論を使って読む場合、後者は作家論や同時代言説のような実証的な証拠を提示して読む場合だ。論文としては、こうした要素が必要なわけだが、①が欠けていれば先行論の模倣、③が欠けていればただの印象批評となる。さらに、②が欠けていれば意味のない論文、④が

欠けていれば意義のない論文ということになる。

こう考えると、論文の基本は先行論との対話であるということが分かるだろう。先行論との対話能力の向上のためには、授業中での質問による対話が効果的である。授業中に質問をするのは、勇気も必要だが、双方の対話が可能であることが講義（聴講することが主な授業）との最大の違いなのだ。演習の授業では、ぜひ**質問**してみよう。

発話する勇気を得るために、まず簡単な質問からしてみるとよい。

> ① 誤字や事実確認のための質問（×の部分は○っぽいんですが合ってますか？）
> ② 根拠の確認のための質問（○の部分の出典は何ですか？）
> ③ 理解出来ない箇所への質問（レジュメの○ページの……の部分をもう少し教えてください）

ポイントは、発話のきっかけを意図的に用意しておくとよい。たとえば、沈黙を破るための勢いを得るために、手をあげて「ハイ」って発話すると決めておくのだ。その勇気が、次の質問をする勇気に繋がる。

また、メンタル面でも楽観的にかまえる。万が一、勘違いしているのが自分であってもそれは愛嬌だし、分からないのに分かったふりをしている方が結局は損。基本、分からないのは、自分ではなく、相手の説明不足だと考えるのだ。

そうして、ある程度発言することに慣れてきたら、次のようなものはどうだろうか。

①証明不足を問う（……という指摘は面白いとは思いますが根拠が弱くありませんか？）
②先行論のまとめ方や理解について問う（乗り越え方の検討）
③議論の前提を問う（「……」という語彙、どういう意味で使っていますか？）
④実は先行論と被っているのではないかという確認（論の新規性）
⑤先行論への文句の付け方自体を問う指摘（先行論理解）

これらは、主として先行論の検討時の質問だが、先行論が正しく整理されていることは、論（発表）の重要な試金石となる。大げさな言い方かもしれないが、本論に至る前に先行論文の部分でその後の論の善し悪しはおよそ想像がついてしまう。逆に言えば、よい議論をしようと思えば、先行論の共通理解が大前提となるわけで、まずはここに質問が集中してしかるべきなのだ。

実際、先行論文の理解に誤解があると、その後の論の構築の土台が揺らぐことになる。難解な先行論文が提示されていると、それだけで気後れしてしまうことも少なくないだろうが、そういった部分を質問することは恥ずかしいことではないし、質問された方も説明することでより理解が明確になる。むしろ、質問しないことの方が、お互いにとって損なのだと心得ておこう。

先行論の理解の水準が発表者（論者）と参加者（読者）の間で一致（共通了解）したら、いよいよ主張に対する議論となる。

①	代替案は、代替案になっているのか（実は先行論の方が魅力的では？）	主張の有効性
②	補完しようとする先行論、やはり問題があるのでは？	先行論の有効性
③	……について、触れていないけど、実は重要なのでは？	別の可能性の指摘

①は具体的な代替案（別の読み方）が提示された時の議論として大切だ。解釈学（読み替え）は、どちらの読み方が「正しい」かよりも、どちらの読み方の方が魅力的（面白い）かという点が重要だ。「羅生門」が盗みを奨励するテクストなのだという読み方に対して、いくら倫理的には正しい読み方を提唱したとしても、その読み方そのものに魅力がなければ説得力は生じない。

論者（発表者）からすれば、自分の読み方の「魅力」をどう伝えるかという意識が大切で、自分の読み方の「正しさ」に拘り過ぎると途端に論の展開が頓挫することが少なくない。

②は論者（発表者）が賛同する論そのものに疑義を突きつける形になる。皮肉な結果ではあるが、論が引用されることにより、元々内包されていた欠陥が露呈してしまうことがあるので、これも重要な指摘だ。

③は参加者が考えてきた読み方が全く触れられていないことから発された質問だが、どんな発表者でも想定されるすべての読み方を提示することが出来るわけではないので、どんな読み方が大切なのかは提示してみなければ分からない。この場合、その議論の場全体に向けて問われることになるわけだが、そういった細部の読み方の提案が、全体の読み替えの端緒となることもあるのだ。

このように様々な読み方が議論できる場を構築するためには、参加者たちの事前準備が重要になる。巻末に付したチェックシートは、注目して欲しい観点を項目別にまとめてあるので、ぜひ予習の際に利用してもらいたい。

チェックシートによる「予習」の実践

タイトルの「素手読み」とは基本的な理論を使ってテクスト内部を精密に読んでいこうとする態度、「グローブ読み」とは何かの武器（理論）によって論理武装してテクスト論として読んでいこうとする態度を比喩したものである。「素手」であっても技（理論）は存在する訳であり、それらを大別して「空」「森」読みと読んでいる。「空」読みとは、構造的に全体を把握すること、「森」読みとは、一文ごとにその流れを追いながら細かく読み進めてゆくことを示している。以下に、その項目の詳細について、拙著『トランス・モダン・リテラチャー』（ひつじ書房）所収の論と関連づけながら説明してゆきたい。

表記の検討①――「文体」

文体、（特に地の文の）表記については、およそ次ページのようなことが注目される。

(1)「語り手」の問題↓ナラトロジーの項目へ
(2)長短・方言・語彙・文語／口語・常体／敬体
(3)ひらがな、カタカナ、漢字の使い分け（造語）
(4)同じフレーズの繰り返し
(5)特徴的な記号や表現方法の使用
(6)主語や目的語、指示語などの内容がよく分からないケース

地の文の考察は、本来「語り手」像の抽出と関係することが大前提であるが、ここでは、もう少しレシ（書かれているそのままの情報）寄りのことから考えてみる。

日本語は、主として三つの表記法（ひらがな、カタカナ、漢字）を使用するが、これらの使い分けに注目してみる。一般的な傾向としては、カタカナでの表記は、漢字が示す表意性（意味）よりも、音を喚起することによって、意味のズレ（拡散）を生み出す効果がある。

「ペルソナ」（五章）は日本人／ドイツ人などという境界を問題とするテクストでもあるので、発話内容にカタカナと漢字が混じっていることが重要であり、その区分を〈山括弧〉で表現しており、「なにもてない」（一章）では、母のことを突然「アノヒト」と表記することがある。

「犬婿入り」（四章）や「運転士」（一一章）では〈山括弧〉を多用する文体であり、「ワンちゃん」（一四章）は「……」を多用する。こうした特殊な記号の使用については、まずそれが作家の書き癖（他

の作品でも見られる傾向）であるのか、その作品の独自性なのかを見極める必要がある。前者ならば、作家論として、後者ならば、作品あるいはテクスト論として考えるべきだからだ。

先にあげた「犬婿入り」（四章）は、真夏の午後の団地の時が止まったような感覚を、なかなか句点が現れない饒舌な文体で語る場面から始まる。語る時空の外部に存在し、すべてを知りながらもその情報を隠しつつ語る無人称の語り。こうした特徴が、固定化した物語のリアリティを上げるために透明化しようとする語り手（近代文学的な語り手）とは異なった、説話の担い手を想起させるしくみになっている。

様々な書籍やテレビ番組の名称を列挙してゆく「猛スピードで母は」（一二章）は、その言葉たちのネットワークがテクストの場所や時代を確定してゆくことになり、それが語られる時間と語る時間との「距離」を浮かび上がらせる。

「ワンちゃん」（一四章）における「ワン」という呼び方は、常に「ちゃん」という日本語とセットになった日本での呼称であり、日本人からみた「愛すべき人物」というイメージ形成に与している。「木村紅」という日本人名は、その本名である「王愛勤」という意味を消去してしまったが、物語は様々な困難に負けず力強く働く「ワンちゃん」像を肯定的に描いてゆく。だが、日本語文学として初めて芥川賞を受賞したテクストには、様々な形で侵食してゆく日本が、それを利用して生きてゆく人々のみならずその犠牲となる人々が描かれているのだが、この愛称は、テクストにはっきりと刻まれている後者の面（犠牲の面）を隠蔽する機能をも果たしている。

さらに全体的な文体から見ると、「ワンちゃん」は、使用される漢字やルビの使用によって可視化された日本語で書く中国人という語り手の位相が、中国から日本に来た「ワンちゃん」の物語と呼応していることも分かる。

「花腐し」（一五章）では、栩谷・伊関という名前が出てくるが、これは非常に珍しい苗字である。苗字の来歴、分布や数については「名字由来net」というサイトやそこで紹介されている諸文献を使うことによって明らかになるが、このテクストの場合、散りばめられている「万葉集」と「水」と「腐る」というモチーフがこれらの名前と密接に関係していることが分かる。また、「アスカ」というカタカナ表記の名前からは、「飛鳥」という言葉が類推され、それが「万葉集」の世界のイメージと重なる。また、繰り返される「フリダシニモドル」というフレーズや、下宿の階段など何度も現れる場面にも注目すべきだろう。

笙野頼子「二百回忌」（二章）では、「センボン」「カカコ」「シネコ」というカタカナ表記の名前が提示されるが、これらの名前に漢字表記が存在するかは明らかにならない。だが、テクストではそこに「カー」というカラスの鳴き声や「死ね」という言葉のイメージが重なってくる。また、「カニ」という語が含まれる地名が多く登場するが、これらの言葉には多くのアナロジーとしての指摘が可能だ。

また、「工場」（六章）のように、地の文と心内語や会話文の境界が示されていないような場合も、その効果を考えるべきだろう。これらは、特に幻想性や現実／非現実の境界を揺るがせたりする効果がある。特に「工場」は、古笛と牛山、あるいは青山との会話において発話の主体が不明確になっている点に注目すべきだろう。このテクストには、工場（職場）なのか街（生活の場）なのか曖昧な世界で、自らのアイデンティティまで希薄になってゆく人々を描いているからだ。

表記の検討②――「タイトル」

タイトルには、およそ以下のような分類が可能なのではないだろうか。

(1) 物語中の人物、地名、物象と対応する場合／対応が見出せない場合
(2) 物語から読みうる象徴的なテーマと関連する場合（象徴）
(3) 言葉として存在している場合／存在しない言葉（造語）の場合（造語）
(4) タイトルそのものが多義的に読みうる場合（多義）
(5) タイトルそのものに省略が含まれる場合（省略）

タイトルを考察するには、「タイトルのみの考察」↓「テクスト全体の考察」↓「テクストとタイトルの関係」というプロセスを経る必要がある。タイトルから期待される一定の予想がテクストと呼応する場合は、それが基本的な読みとなるからだ。逆に言えば、テクストの精読により、これまで指摘されなかったタイトルの意味を指摘出来なければ、大した意義はないだろうということだ。

また、具体的にせよ抽象的にせよ、タイトルの意味がテクストから全く想定出来ない場合は当然議論の対象としやすいが、その場合どうしても、テクストの解釈よりもタイトルが有する意味の方に引っ張られやすい傾向があることに注意すべきだろう。つまり、解釈の多様性がタイトルによって限定されてしまうのだ。こうした考え方に立つと、タイトルとテクストが一定の緊張感（テンション）をもった逆説性（アイロニー）があるというような考えが浮かびにくくなる。

「ワンちゃん」（一四章）などは主人公の名前であるとすれば大した意味は生じないが、先に論じたよう

な名前の経緯を考えれば、もう少し含意のあるタイトル（多義）であるとみなすことも出来る。

「猛スピードで母は」（一二章）は、係助詞「は」の下に省略を含んでいるところが特徴だ（省略）。この下の省略をどう考えるかで、論者のテクストの読みが明確になるという意味では、論じる上では不可避の命題の一つとなる。

「ひとり日和」（九章）や「タイムスリップ・コンビナート」（三章）「二百回忌」（二章）などは、そもそも造語なのでタイトルだけで意味を確定出来ない。よってタイトルを考える際も、テクスト全体からどのように結びつけるかという観点が必要になる。「タイムスリップ」には「タイムトリップ」などの類似語があるが、テクスト内でのちょっとした表象の重なりが意図しない時代の記憶にどんどん移動してゆく様などは、まさに「トリップ」と呼ぶに相応しいものであることが分かる。

また「なにもしてない」（一章）や「犬婿入り」（四章）などは、テクスト全体の様相を示しているように見えながらも、テクストとタイトルの間に逆説的あるいは自己言及的な意味を生じさせることに注意する必要がある。前者は、「なにもしてない」とする語り手の意識には、同世代の女性ならば通常「するべき」ことが想定された上での逆説的な意識であることを考える必要があるだろうし、後者はそもそも「犬婿入り」が固定的な作品のタイトルではなく、説話の類型の一つであることを想定する必要がある。そう考えれば、ある説話を描きながらも、そういった説話的世界がどのように生まれてくるかという主題が隠されていることが見えてくるだろう。

「工場」（六章）「ペルソナ」（五章）「穴」（七章）などは、実際にテクスト中に出てくる物象であるが、実際には「工場」を対象として描きながらも、いつしか「工場」ではない場所、「工場」の外部などは存在しないのではないか、という己の世界への逆説的な自己言及に至るしくみがある。すべての感情を消去することで相手側が自由に感情を読み取ってしまう「能面」は、海外の地においてただ見つめられるだけの日本人というものを表象してしまうという不思議な逆説性を、あるいは、「穴」に落ちることは非日常的な出来事であるはずなのにテクストは、「穴」ではない日常世界に不思議な違和を突きつけてくる。
「十九歳の地図」（一〇章）では、「十九歳」の人間が書いた「地図」という単純な意味と同時に、大人でも子供でもない人間による「地図」という抽象度をあげた意味を捉えることが出来る（多義）。もちろん、両者のどちらかに決定することは不可能である。「仮面の告白」のように、AのBというタイトルは、「の」の意味の取り方によって多義的な意味を発生させやすい。

表記の検討③――「解釈出来ないモノ・コト」

(1) 意味だけではなく、その存在自体が不確定な場合
(2) 意味は分かるが、その機能（役割）が不明な場合
(3) ディノテーションよりもコノテーションとして重要な機能を果たす場合

「穴」（七章）が、物語に出てくる具体的な「穴」であることはすぐに了解できるが、もっと抽象的な意味を読み取るべきだろうし、「十九歳の地図」（一〇章）がどの「地図」を指すのかはすぐに分かるが、それよりも「地図」が「物理のノート」に書かれている意味などの方が重要だ。

「犬婿入り」（四章）では、「電報」が数回出てくるが、何かの事件の到来を告げているように読解できるものの、実はその電報は届いていない。また〈山括弧〉で表現される〈夜遊び〉〈修行〉なども意味が確定できないまま物語は終わってしまう。

「ペルソナ」（五章）とは、語源としては「仮面」のことであるが、しばしば他者に対する表向きの自分といった意味で使用される。だが、物語終盤では、「能面」という日本製の「仮面」をかぶって、すべての感情を隠しながら、ドイツの街を歩くという異様な場面で終わる。

「タイムスリップ・コンビナート」（三章）では、「チョコレート」が重要な役割を果たす。これは、車窓のビルのイメージが板チョコのそれと形状イメージとして重なり、戦後のアメリカ占領期あるいは父親といった公的あるいは個人的な記憶を引き出す機能がある。

「十九歳の地図」（一〇章）や「タイムスリップ・コンビナート」（三章）では「電話」が重要な機能を示すが、こうした今も存在しているが、その意義や意味が異なるモノほど注意が必要だ。たとえば、「ダイヤルを回す」という行為の意味や、ナンバーディスプレイや個人情報保護法が存在しない社会における「いたずら電話」の意味は全く異なる。

「窓の灯」（八章）の舞台の店の名である「シベット」を調べてみると、コノテーションレベルで場所に重要な意味を与えていることが分かったり、「花腐し」（一五章）の「火事」なども単なる性的な「燃え上がり」といったディノテーションレベルの比喩以上に、東京と重ねられた「江戸」の「火事」のイメージと、コノテーションレベルで接続されている。

構造の検討

構造
① 人物　相同関係・相反関係
② 場所　相同関係・相反関係

言うまでもなく、紙幅も文字数も限定されている物語の中では、人物や場所（場面）の「属性」をすべて語り尽くすことは出来ない。そこで、我々は閉じた世界の事項を物語の内部における「機能」として把握している。物語のある人物を「優しい人」であると書けば、とりあえず「優しい」人であると伝わるが、それは伝わるだけであり、読者がその人物の「優しさ」を納得するかどうかは別の問題である。同様に、物語の内部で、ある人の「優しさ」を証明する要素をいくら並べてみても、その人物を「優しい人」であると受け取ってもらえるかは結局読者次第だ。逆に言えば、だからこそ、ある人物が「よく描けている／いない」という批評が成り立つとも言える。

そこで、物語では「優しい」人を「冷たい」人と対置させることによって、それぞれの人物の「優しさ」や「冷たさ」を読者に印象付ける。つまり、ある人物の「優しさ」は別の人物の「冷たさ」を補完しているのであり、逆もまた真なりである。漫画「ドラえもん」の中で、しずかが「綺麗」なのは、しずかの内部に普遍的な美が埋め込まれているからではない。その閉じられた記号世界において、他のキャラとの関係性において「綺麗」という位置を読者が相対的に読み取っているのだ。さらに、急いで付け加えるべきなのは、しずかの「綺麗」さとは、漫画の世界が現実世界ではなく記号世界であることなどとは全く関係ないということだ。「綺麗」という概念はいつでも時空の制限を受けている。どんな時代でいかなる場所においても「綺麗」である要素など存在しない。

また、語り手が「〇〇は××」であると明示するよりも、語り手が暗示的に配置した対立軸を読者が感知した方が登場人物の属性は納得されやすい。語り手による定義には、読者の疑義が入ることがある（信頼できない語り手）が、読者が自らの判断（と思うこと）によってなされた人物造形を、読者自身が疑うことは読書行為を困難に導くからだ。便宜的に、前者のような明示的なケースを絶対的な属性、後者のような暗示的なケースを相対的な属性と呼ぶと、まずは後者について検討してゆく必要があることが分かる（前者はテクストに書いてあるので）。

「猛スピードで母は」（一二章）の場合、「母」と「慎」、「慎一」、「須藤君」、母方の「祖母」と「祖父」、そしてトドの「サクラ」あたりが重要な人物となるだろうか。その場合、これらの人物をすべて（七人の場合二一パターン）比較検討してみることが重要であり、すぐに思いつく組み合わせのみを検討しても、あまり面白い発見はない。たとえば、「母」と「慎」や、「慎」と「サクラ」などという組み合わせは、すぐに思いつくが、「母」と「サクラ」などの組み合わせは、物語上では直接結びつかないために、気が付きにくいのだ。

また、比較検討の際には、共通点（相同性）と、相違点（相反性）の両面を考える必要がある。たとえば、母と慎は家族（血縁）では相同性にあり、親子とか男女とかいう面を考えれば相反性が浮かび上がる。「母」と「慎」という視点から見れば、「慎一」という外部（象徴的な父）を得ることが出来ず、二人で生きていったという家族の物語が発生するだろうし、「母」と「サクラ」に注目すれば、パートナーを失った／得た、という相反する物語が発生する。

「ペルソナ」（五章）では、様々な境界線によって相同・対称関係が作られているが、むしろ、そうした恣意的に過ぎない境界線自体がテーマとして描かれている。テクストで描かれる境界線は、「病気」「国籍」「性別」などであり、それらが各人物を単純に分類するのではなく、人物と境界線の関わり方によって同じ人物が多層的な要素を引き受けてゆく様が丁寧に描かれている。

たとえば、道子と和男とは異国の地でともに暮らす姉弟であるが、国籍が変わるとそれが不自然な関係にみなされたりする一方で、道子は、和男と星先生の間あるいは日常をともに過ごす主婦同士にセクシャルな関係を見出したりする。和男は同じアジア人としての視線を否定し、ベトナム人との差異を強調することによって己の位置を守ろうとするが、自身の差別的視線には無自覚である点が、姉とは対照的である。

「工場」（六章）では、契約社員／派遣社員／正社員／派遣社員のコーディネーターなどといった立場が、牛山佳子、佳子の兄やその恋人、古笛よしおといった人物の立場を明確に分類してしまっている。その工場で観察される動物たちは人間によって分類されながらも、実は観察する人間も観察される動物も工場を媒介に繋がった生態系のような世界に閉じ込められていることには無自覚である点で共通している。

個が集団を形成しているという人間の意識は、むしろそちらの方が幻想であり、現実の個は集団のオートポイエーシスに埋没している姿が浮き彫りとなり、最後に人間たちが動物に変化してゆく場面は、現代社会の在り方に鋭い警鐘を鳴らしているようにも読める。

「犬婿入り」（四章）では、川や鉄道が分断した南区と北区という場所の分断が大きな意味を持つ。古来から人々が暮らして来た南区は、近代の新興開発地の北区によって、常に見られる場所となっている。新興住宅地（団地）の主婦たちは北区に留まり北区の塾に通う子供たちからの「伝言」を「噂」する媒体となっている。ここには、解釈する主体である北区と一方的に解釈される客体である南区という図式が見られながらも、その実北区の「主体」は「噂」の媒体に過ぎない。子供たちは未分化な性と汚の話題をそのまま北区に運び込み、北区の主婦たちはそれを興味と合理性によって「解釈」するといった、都市伝説が生まれる様子そのものを描いたテクストとして読める。

もちろん、このテクストはある特定の地域を確定することも可能だ。ただ、テクスト解釈において、地域等のモデルの確定は両義的な意味をもつことに注意するべきだろう。その特定が従来の解釈とは異なった意味を発生させるのならば、それは一定の意義をもつだろうが、特定なモデルケースとして唯一解にせず、むしろある普遍的なケーススタディとして考えることの方がテクストのもつ射程を広げることが出来ることも少なくない。

「犬婿入り」（四章）というテクストの、近代化による地域の分断といった問題は、非合理な物語を彼岸に排除することによって成り立つ近代社会の様相を実に瀟洒に描いている。

「ワンちゃん」（一四章）でも、「夫」と「土村」、「土村」と「宇野」と「山内」、「孫領弟」と「季芳芳」と「呉菊花」と「張腿麗」、それぞれのキャラクターの属性はその対比によって明確化され、またお互いがその属性を保証しあうように配置されているが、このテクストの場合、それ以上に「場所」への注目が可能だ。

中国の田舎と日本の田舎という場所の設定は、当時の「中国」と「日本」の関係性（GNPを前提とした経済格差）と重なっているし、日本や中国の内部では「都会」と「田舎」という対立軸も明確に書き込まれている。中国から来る「嫁候補」は「都会出身者」がその対象から避けられているし、その嫁ぎ先は

「成田空港」から「松山空港」まで飛び、さらに一時間以上の移動によって、ようやく辿り着く「田舎」である。そこで描かれているのは、経済的弱者である日本の田舎が、当時の国同士の経済差を利用し、中国国内で結婚しにくい田舎の女性を搾取している構造である。

「沖で待つ」（一三章）では、最初の赴任地である福岡と出身大学のある東京（埼玉）との関係が重要な意味を持つし、福岡の職場では、喫煙所と給湯室という二つの場所が、それぞれ一般職と総合職の象徴として機能している。一般職と総合職の区分は同じジェンダーに属する「わたし」と他の女性職員たちを分断しているし、（おそらくは短大もしくは高校卒業の女性職員が使う）方言と、（都会の四大を卒業している）総合職が使う標準語の差異が、その分断をより際立たせている。

「なにもしてない」（一章）は、八王子（東京）の武蔵野御陵のそばの家から観られる、天皇崩御の報道や皇太子の伊勢（三重）への移動が、天皇の死から新たな天皇の誕生へと繋がる物語に重ねられ、さらに恋愛・性愛・労働といった家族制度を補完するものから遠ざけられる「わたし」が、家制度を象徴する天皇の物語をテレビで観るというねじれた構造を有しているし、「二百回忌」（二章）では、東京から三重への移動が、自らの家制度そのものが天皇制度（皇室を象徴的な「家」とする家父長制度）と重ねられている。

「ひとり日和」（九章）でも、「おばさん」「ホースケさん」「知寿」「藤田君」などが、カップルとしての相同関係や、見送る主体あるいは見送られる客体としての相同関係などを形成しながら、それぞれに別の相反関係を生み出しているが、ここでも重要なのは知寿の下宿する「おばさんの家」、調布、笹塚、新宿、みずほ台といった「駅」が場所として重要な機能をもっていることだ。

詳細は論文を見ていただくとして、この下宿先の駅だけが明示されていないことが、逆説的にこのテクストが駅をめぐる小説であることをよく示しているが、同様に「駅」を舞台としている「運転士」（一一章）では、「地上」「駅」「地下」といった空間同士の縦の関係性が重要になっていることに特徴がある。さらに、場所の関係は、垂直、水平といった物理的、地理的関係だけにとどまらない。

たとえば、「タイムスリップ・コンビナート」（三章）では、そのタイトルの通り、幻想的な時空の「スリップ」によってテクストが構成されている。戦後直後と高度経済成長時、そしてバブル崩壊後の「現在」という三つの時間が、「沖縄」「チョコレート」「工場」などの空間によって重ねられているし、受動的なまま「マグロ」からの電話に導かれる話の端緒は性的な意味を内包しつつ、物語は自らの父や母をめぐる出生の秘密に辿り着く構造になっている。

「花腐し」（一五章）も、新宿と対置された大久保という土地を舞台に、その時空は栩谷の人生の中でもバブル期を軸に反転し、さらに水や火を媒介にして万葉集や江戸の街に重ねられてゆく構造を有している。

また、「花腐し」の場合は、栩谷、伊関、アスカ、祥子といった名前自体が物語の中で別の言葉（漢字）と重なるというアナロジーを含んでいる。名前のもつ意味、漢字の解題、苗字の由来などで調べてゆくとは、必ずしも意味をもつわけではないが、不自然な名前が出てきた時には一度は検討してみてもよい。

「十九歳の地図」（一〇章）でも、「ぼく」と「紺野」の間には、大人／未成年、性的経験を有する者／未経験、大卒／予備校生など多くの相反性が描かれ、両者は鋭く対立する。一方で「ぼく」は新聞奨学生（予備校生）として相同性を有するどの人間にもなじめなず、子供に戻ることはもちろん、大人になることとも出来ない狭間に停滞し続けている。

また、紺野と過ごさねばならない「下宿」、日々配達に奔走せねばならない「町」において、前者における「地図」は世界を支配する神の位置を象徴しており、後者においては「地図」＝小さな世界の中で駆け回る「犬」と自分を相同なものとして重ね合わせる。その意味で二つの地図は対立しているが、いたずら電話をかける電話ボックスでは、下宿における「地図」の機能がそのまま町においても同じ役割を果たしている。

また、予備校生の「ぼく」にとって、物理のノートが「地図」に置き換えられることは、物理学が示す「実証的・現実世界」の想像力が、地図が示す「妄想的」な想像力に置き換えられていることをよく示しており、このテクストは、人物、場所、モノのいずれにおいても相同性と相反性が巧みに入り組んだ世界を構築している。

ナラシオン（語り手の操作）の検討

ナラトロジーも、構造主義と同じように、物語を形作る諸要素を「機能」と考えるので、その機能を司っている主体をも具体的な人物であるとは捉えず、抽象的な「機能」であると考える。それが「語り手」と呼ばれるものだが、「語り手」はその名前の通り、しばしば具体的な人物が想定されてしまうことも少なくない。語り手に具体的な人物を充填するべきかは、テクストの読み方によって決まってくる。

もう少し具体的に言うと、読むことにより抽出されたナラシオンは、主として時間操作、視点操作などが挙げられるが、これらの操作が意図的に組み込まれたものであるならば、作家論的な証拠（日記やインタビュー記事など）が必要となるが、「機能」として考えればこうした証拠は必要なくなり、ある程度の説得力さえあれば、その読み方を提示出来る。「語り手」を「機能」として考えるならば、「語り手」とは具体的な誰でもない存在として規定される。

だが、「猛スピードで母は」（一二章）の場合、すべてを事後的に語りかつ「慎」にだけ内的焦点化する「語り手」は、限りなく「慎」に近い誰かである。仮にこれを大人になった「慎」が語っているという具体的な語り手の内実を想定すると、数多く存在しただろう父親候補の中で「慎一」だけが特権的に語れていることになる。「猛スピード」がともに生きてきた母子の比喩であるならば、その中で唯一「父」になって欲しかった息子の回想録として読めるのではないだろうか。このように語り手の設定を具体的に想定することは、それによって新たな読みの可能性を浮上させることがある。

一方で、起こった出来事や語られている内容の描写よりも、それ自体の自明性を議論の俎上に乗せることを要求しているテクストもある。こうした物語を自己言及系テクストと呼ぶとすると、この種のテクストの語り手には、特定の人物を充填しない方がよい場合が多い。

「犬婿入り」（四章）などの場合は、語り手が全知の位置に立っていることが重要となる例である。そもそも、全体として都市伝説（伝承）が発生する過程そのものを語っているようなテクストの場合、その全体を語る位置が消えてしまわない限り、物語中の出来事の真偽という問題が発生してしまうことは避けられない。

「ペルソナ」（五章）でも、全知の視点により、発話された言葉の内容と異なる心情や表情に内的にも外的にも焦点化し、その齟齬を露呈させることにより、「ペルソナ」（＝仮面）という主題を明確にしてゆく。

ナラシオンの主体を無人称の「機能」として考えるか、もしくは特定の語り手を想定するかは、ナラシオンの抽出とは直接的には関係ないことだが、抽出したナラシオンを具体的な語り手の行為として「還元」するのかどうかも、結局は、そこから生じる読みの可能性次第ということになる。

4　小文字の歴史を調べる

よく言われる「調べ系」と「理論系」という対立軸は、結局のところ同じ場所に逢着するのではないかと思われる。それは、精密な内部分析であっても、外在的な理論や調査によったとしても、結局どう読み替えられるかという実践と、その読み替えの持つ価値という問題だ。本書では、その価値を「面白さ」という言葉で説明してきた。

その実践のための内部分析（ニュークリティック・構造解析・ナラトロジー・読者論）と外部分析（テクスト論）について、最後に、外部分析のもう一つの可能性である「小文字の歴史」を調査することについて述べておきたいと思う。もちろん、調査の場合も、その目的は読み替えであって、既存の読み方に対して、いかなる読み方を提示することによって、よりテクストの魅力を引き出せるか。こうした目的を失って、調べること自体に夢中になってしまわないように注意したい。

とは言いながらも、実際には調査には何とも言えない面白さが伴うことも事実だ。ある意味では謎解きのような感覚、また別の意味では知的好奇心の刺激とでもいうべき感覚が生じるのだ。それは、学の追究の過程としては非常に重要だ。読み替えという目的を忘れないようにしつつも、ぜひ調査の醍醐味も味わってもらいたいと思う。

小文字の歴史の調査には、まず「これは調べてみよう」と思う感覚を磨くことが重要だ。そのためには、その対象となるテクストを支えている「前提条件」を考えてみることが必要なのだ。尾崎豊という歌手の曲に「十五の夜」(一九八三)という歌詞があるが、ここで歌われる「盗んだバイクで走り出す」とか「熱い缶コーヒーにぎりしめ」などというフレーズは、考えてみると、当時のバイクの鍵が簡単に走り出せるような単純な構造になっており、その知識が中学生にもある程度知られていたことなどを前提としている。夜中に熱い缶コーヒーが飲めるためには、自動販売機による温かいコーヒーの販売が始まっている必要があるし、コンビニなど夜中に立ち寄るような場所がまだ存在しない時代であったことも重要だ。

つまり、物語の展開上、何が必要で何があってはならないのかという勘のようなものが必要なのだ。小林明子がかつて一世を風靡した「恋におちて」(一九八五)における「ダイヤル回して手をとめた」といったフレーズも、ダイヤル電話に触れたことがないかもしれない今の若い世代には、厳密な意味では「註釈」が必要なのだ(ちなみに、この曲の前提にはナンバーディスプレイが一般化していない(かけた痕跡が残らない)などという別の要素も必要だ)。

特に、今も存在しているが、当時は意味や意義、機能などが異なるものなどが要注意だ。たとえば、一九九五年はインターネット元年ではあるが、ネット検索が実用的になるには、高速回線が一般化するゼロ年代を待つ必要があるし、少なくとも九〇年代に詳細なグラフィックを伴う高速回線を有するメディア(要するにスマートフォンのようなもの)は存在していなかった。その意味で九〇年代のネットコミュニケーション(たとえば、パソコン通信のようなもの)は、今とは全く異なる様相があったし、「インストール」のように、今も存在する言葉は、その当時の使用(仕様)をよく吟味する必要がある。今は「インストール」すればするほど機能が増えるというイメージがあるが、記憶媒体の容量が少なかった頃の「インストール」は、中身が丸々入れ替わるという意味合いの方が強かった。ちなみに綿矢りさの「インストール」は二〇〇一年が初出である。

昔は恋愛ものの鉄板であった待ち合わせがうまくいかずにすれ違うという場面の成立には、緊急連絡出来る手段（携帯など）が存在していなかったことが必要だし、漫画『進撃の巨人』（二〇〇九〜二〇二一）のような世界観の成立のためには、飛行機のような攻撃設備や核爆弾のような兵器が存在しない前提が必要だ。

また、歴史的記述はどうしても大文字に倣ったような記述になりがちなことも注意すべきだ。たとえば、バブルの崩壊は一九八九年一二月に初めて株価が下がったことを契機とするのが通説だが、実際の地価の下落には一〜三年のタイムラグがあったし、それに伴って通常の生活で不景気が実感されるのにも、色々な形があった。我々の現在でも、流行しているという情報を受け取る時点では、それが流行していることを知らないということは、よくあることだ。ところが、事後的には、今現在がまさに流行のピークであるという記述になってしまうわけだ。

そうした点に注意しながら、あるモノやコトに注目してみる。まずは、ネット検索してみることは有効な手段だ。その際は、整理された（サイト側から申請登録してゆくしくみの）検索サイトよりも、検索サイトが勝手にネットを巡回しながら言葉を蓄積してゆくような検索サイトの方が、ノイズも多いが色々な情報が手に入る。また、検索には同義語に変えてみたり、複合検索する組み合わせを変えてみたりする工夫も必要だ。

ネット上で知ると有効性の高い情報をいくつか挙げてみよう。

①業界（企業）の歴史を紹介するようなページ（↓社史、業界史、業界誌へ）。
②それを研究する学問的分類（↓図書館の分類へ）。
③キーワードになる言葉（↓新たな検索ワードへ）。
④記念館、博物館、郷土館などの情報。
⑤参考図書の情報。
⑥調査している先人の名前、著書、論文の情報。

ネット上の情報は玉石混合であり、真偽があやしいものも少なくない。それらを精査してゆくには、最終的には活字化されている出典にまで辿り着く必要がある。もちろん、活字化されていることが、そのまま正しさの証明になるわけではないが、ネットから活字へと情報の根源を追ってゆくことは、その情報の成立過程を確認することに繋がる。

以下に、疋田の拙著『トランス・モダン・リテラチャー』（ひつじ書房）に収録された各論から「小文字の歴史」の具体的な調査の事例を追ってみよう。

笙野頼子「なにもしてない」

「なにもしてない」（一章）では、語り手の作家は**ワードプロセッサ（ワープロ）**で小説を書いている。今はパソコンにとって代わられている道具が、当時どのような位置づけであったのかは、調べてみないと分からない。また、引き籠もりの語り手が観ているテレビが部屋の中で果たす役割も、ネット社会の今とは異なったものであったし、そこで報道されている天皇に関する表象（物語では天皇の代替わりの行事が重なる）についても調べてみる必要がある。

同時代にどのようなテレビ番組が放映されていたかは、テレビ欄研究会編著『ザ・テレビ欄』（ティー・オーエンタテインメント）で調べることが出来る。一九七五年以降現在に至るまでのテレビ番組を、実際の番組表により紹介している資料である。

ワードプロセッサの発展については、武田徹『デジタル日本語論―ワープロの誕生と死』（武田徹アーカイブ）といった書籍や、〈ＩＰＳＪコンピュータ博物館〉などが詳しい。後者はワープロなどコンピュータ機器全般の歴史的変遷を纏めたサイトである。

テクストと同時代の昭和天皇の動向については宮内庁編纂『昭和天皇実録』第18巻（東京書籍）を、「行幸」およびその際使われる「御召列車」については、原武史『昭和天皇 御召列車全記録』（新潮社）が有効である。原の研究からは、昭和天皇の「御召列車」による行幸について御誕生から最晩年までまとめられており、皇族の列車移動について膨大な情報を得られる。崩御に関する報じられ方については、朝日新聞社の『昭和天皇報道―崩御までの１１０日』（一九八九年）が有効な資料である。⑥

「なにもしてない」というタイトルには、小説家という職が成立していないという以外に、社会的に要請される「女性」としての役割が「内面化」している（たとえば、結婚しない、恋愛しないなど）という点も重要であるが、ここには、男女参画社会が叫ばれていた同時代状況を考えることも出来るだろう。ただし、牛窪恵『恋愛しない若者たち』（ディスカヴァー・トゥエンティワン）などのような様相を直接あてがうのは注意が必要だ。同書は、ここで指摘される世代とは十年以上の隔たりがあり、ネットよりもテレビの影響が強かったことや、まだまだ八〇年代の恋愛至上主義文化の影響も残っていたといった時代状況を考慮する必要があるからだ。「内面化」の問題は、無意識に周囲の状況に合わせようとすることだけに生じるわけではなく、状況への忌避や抵抗も背景にある。また、近現代の変化の速度は急速であるがゆえに、数年の時間のズレが大きく社会を変容させることも少なくないのだ。

携帯電話のない社会、ネットが一般化していない社会。悪魔の証明と言われるように「……がない」という状況を言説空間から考えることは難しい。であるがゆえに、言説調査では、過去の事象を可視化しながら、現在と異なる当時の一般感覚を追究する必要がある。

また、語り手が罹患する「**接触性湿疹**」についても具体的な症例などを調査することは可能だが、こういう個々人の直接体験に依存する感覚の表象は、従来から文学が得意としてきたものである。こうした場合は、むしろ「比喩」として物語内部における構造（機能）を分析してみた方が面白い。

笙野頼子「二百回忌」

「二百回忌」（二章）は、架空の回忌法要をめぐる物語であるので、まずは「**回忌法要**」そのものを知る必要がある。架空の創造力を理解するためには、現実的な「事実」との比較が必要だからだ。もちろん、執筆時の作者の意識（あるいは無意識）にどの程度の「知識」が正確に存在していたのかという論証は出来ない。それよりは、**現在の「常識」とは異なっているものの、当時は一般的であったような「知識」の反映を作品から読み取ることも重要だ**（同時代言説）。

だが、一方で、作品が作者の膨大な調査や知識に裏付けられており、その「知」がより深い解釈に繋がる場合もある。「二百回忌」の舞台は「**三重（伊勢）**」だが、そこに親戚一同が集まる話は、**天皇家の問題**

と重なって語られている。また、その法要に移動する手段は「鉄道」である。

「三重（伊勢）という土地の問題」「『葬式』という儀式のもつ意味」「鉄道」という三つの「知」を調査するにはどうしたらよいか。

まずは「三重」という土地を、その歴史性から調べる方法である。県なら県史、市なら市史といった郷土史の研究成果は、それぞれの行政区内の公立図書館に必ず存在している。さらに、郷土館などの施設を有している地域も少なくない。三重県編『三重県史 通史編 近現代1』などは県の歴史を調べる上で役立つ。④

また、郷土史には民俗学的なアプローチも多く存在しており、地名などを考える際に便利だ。そして土地の歴史と鉄道の歴史の調査を進めると、テクスト中で「蟹張」などとして登場する地名が同定できる。岡田登『三重「地理・地名・地図」の謎』（じっぴコンパクト新書）、柳田國男『地名の研究』（講談社学術文庫など）などによって、三重にある地名が持つ意味などについての情報が得られるだろうし、「カニ」という言葉を含む地名が持つ抽象的な意味も明らかになるだろう。

また、地名や地域性の問題を考える時、民俗学からのアプローチも有効だ。三重の歴史を調べると、武澤秀一『伊勢神宮と天皇の謎』（文藝春秋）などによって、「伊勢信仰」つまり「天皇」の問題が浮上してくる。こうした「知」のネットワークがテクストをより深い読みに導いてくれるはずだ。②

つぎに「葬式」という儀式のもつ意味について調べる方法である。山田慎也『現代日本の死と葬儀―葬祭業の展開と死生観の変容』（東京大学出版会）は日本における死生観の歴史的変遷を辿るとともに「葬祭業」という職業のもつ社会的役割について考察した資料である。全日本冠婚葬祭互助協会編『冠婚葬祭の歴史　人生儀礼はどう営まれてきたか』（水曜社）は、「冠婚葬祭」全体に関する歴史的変遷を辿っている。国立歴史民俗博物館・山田慎也・鈴木岩弓編『変容する死の文化 現代東アジアの葬送と墓制』（東京大学出版会）では日本のみならず、中国・韓国などの近隣諸国との比較を通して「死」に関する文化の変化について述べている。こうした知は、「社会学」や「歴史社会学」と呼ばれるジャンルから提供される。また、「死」は、哲学的問題でもあるため、たとえばナンシーによる『無為の共同体』（以文社）などが、読解のヒントとなることもあるだろう。⑥

では、「鉄道」についてはどうだろう。鉄道については、**その時代の時刻表を入手すると、具体的な運行状態が分かる。**日本のようにパンクチュアルな運行をよしとする国では、時刻表が単なる「目安」などではなく、かなりの実態を反映している。

また、三重交通株式会社創立50周年記念事業推進委員会編『三重交通50年のあゆみ』などは、地元に根ざした鉄道網の歴史を教えてくれる。ローカル線の中には、現存しない沿線も多くあるので、小文字の歴史を学ぶ上でも、重要な資料になる。④

鉄道は昔から多くのジャンルにアーカイブ資料があり、資料館や博物館の部類も多く存在する。昔の鉄道雑誌などからは、当時の内装や車内の過ごし方などを伺うことが出来るし、博物館であれば、実際に当時の車両に乗った感覚を直接体験することも出来る。文学は生の経験のミメーシスである側面を含むがゆえに、現在の疑似体験から当時の体験を復元出来ることもあるのである。④

笙野頼子「タイムスリップ・コンビナート」

「タイムスリップ・コンビナート」（三章）は、小文字の歴史の調査を学ぶという意味では、最も優れた「テクスト」であり「テキスト」である。参考文献としてあげている拙書が「移動」をテーマにしていることあるが、「運転士」や「ひとり日和」などでも触れたように、近現代文学において**「鉄道」**は重要なキータームになる。

ここでは、鉄道についていくつかの参考資料を挙げておきたい。戦後の鉄道の歴史を考える上で「国鉄」「私鉄」という概念が重要だ。『日本の私鉄』『日本の国鉄』（岩波書店）や、『国鉄の戦後がわかる本』（山海堂）『未完の「国鉄改革」』（東京経済新報社）『鉄道史の分岐点―日本鉄道の発展を探る』（イカロス出版）などによって、国鉄民営化以前の鉄道行政についての知識を得ることが出来る。

また、『戦後日本の鉄道車両』（グランプリ出版）などからは、具体的な車両（空間）についての状況を得ることも可能だ。既に廃線となっている路線に関しても、『日本の懐かし鉄道大全』（辰巳出版）など多くの参考資料があり、『都電の一〇〇年』（イカロス・ムック）などのような特定の路線の歴史に特化した資料も、大概の路線に存在している。

さらに、博物館（記念館）や雑誌の種類が多いこともこの分野の特徴だ。『鉄道ピクトリア』（電気社研究会）、『鉄道ファン』（交友社）、『鉄道ダイヤ情報』（交通新聞社）など、鉄道の中でもそれぞれのジャンルに特化した雑誌がある。

さいたま市の〈鉄道博物館〉に加え、〈京都鉄道博物館〉〈九州鉄道記念館〉など各地方に特化した博物館の存在も押さえておきたいし、『鉄道事業者社史目録』といった、社史そのものの目録も存在している。

この小説の「タイムスリップ」というタイトルからも分かるように、鉄道の移動中に目の前の事象が象徴作用によって様々な過去の事物に移り変わって、鉄道「移動」自体が日本の戦後史の「移動」と重なってゆく。そこでは、民衆史を構築するような事象が多く登場する。

ここで描かれる戦後史は**高度経済成長**に象徴される。高度経済成長を扱う資料は多岐にわたるが『高度成長―シリーズ日本近現代史〈8〉』(岩波書店)や『高度経済成長と生活革命―民俗学と経済史学との対話から』(吉川弘文館)などによって概略を掴み、そこから個々の表象の調査に向かうとよいだろう。

「コンビナート」に関しても多くの資料が存在するが、たとえば〈東芝未来科学館〉のサイトからは、日本の代表的なコンビナートのほとんどが高度経済成長期に出来たことが分かる。

移動の起点となる中野には「中野ブロードウェイ」というサブカルチャーのグッズで有名な地がある。物語の中にも「スーパージェッター」や「ブレードランナー」など多くのサブカルチャー表象、また「チョコレート」「沖縄」などアメリカとの関係で語られる戦後史と深い結びつきがある表象が登場する。

「**中野ブロードウェイ**」は、一九六六年の開業より、第二次高度経済成長により急速に日本人の生活がアメリカナイズされる波に乗り誕生した先駆的な商業住宅複合ビルの一つであり、多くの研究や資料が存在する。一九九一年、現在のような「サブカルの聖地」として名を知らしめるようになるまでの歴史は特に重要だ。一九八〇年に、営業を始めた漫画古書店『まんだらけ』を中心に様々なジャンルのコアなマニアの経営者がこの場所に集まってきた。さらに、ここ数年ではベンチャービジネスの拠点としても注目を浴びている。ビッドコイン、3Dプリンターなど、新しい業態の店舗も増え、益々カオス化が進んでいる。作中に登場する「キッチュ」な雰囲気を味わうことができるまさに「聖地」である。

また、「中野ブロードウェイ」内の「明屋書店」では、「サブカル」というコーナーが常設されており、作中で登場する八〇年代のオカルトブームについて関連する書籍や都市伝説、怪奇現象について取り扱っている書籍が多数販売されている。また、商店街内には複数の個人書店もありより一層コアなファン向けのマニア雑誌や写真集、漫画等が販売されている。中古の掘り出し物を扱う書店も複数あり、オークションで高値が付けられている雑誌が安値で手に入るかもしれない。

「ハーシーのチョコレート」に関しては社のサイトに詳しく紹介されており、『チョコレートの歴史』（河出書房新社）などから歴史を学ぶことも出来る。戦後史における沖縄についての資料は枚挙に暇がない。

「たくさんのおやじたち」や「ホラーコミック」、「大槻教授」といった八〇年代から九〇年代にかけて日本で起こる**オカルトブーム**もテクストに埋め込まれている。これについては『昭和・平成オカルト研究読本』（サイゾー）、太田俊寛『現代オカルトの根源―霊性進化の光と闇』（筑摩書房）、津城寛文『〈霊〉の探求　近代スピリチュアリズムと宗教学』（春秋社）などのような書籍で言及されている。オカルト雑誌『ムー』（ワン・パブリッシング）なども当時の様子を知る貴重な資料となる。また、「中野ブロードウェイ」内にも「怪異」や「都市伝説」をモチーフにしたアングラな漫画を販売する店舗が複数存在するためこちらも時代の雰囲気を感じる上で参考になる。

もちろん、このテクストは、高度経済成長の歴史の中でも、コンビナートに象徴される重工業の発展や、沖縄やアメリカの問題が埋め込まれているが、これらは、歴史学、政治学、社会学でも論じられる「大文字の歴史」である。だが、このテクストの最大の特徴は、これらの大文字の歴史が、中野ブロードウェイというトポスを象徴として、様々なサブカルチャーを通じた個人的経験と重ねられてゆくことである。テクストとは、大文字の歴史と小文字の歴史が出会う場所でもあるのだ。

多和田葉子「犬婿入り」

テクスト冒頭部、だらだらと饒舌体の語りが続く中に、「なにしろこの団地では団地文化が始まって三十年の間に」という記述がある。「**団地文化**」とはどのような意味を内包しているのだろうか。この言葉について明らかにすることは、本テクストの大まかなテクスト内時間を掴むことに繋がるとともに、噂が頻繁になされ、結びつきが強いというテクスト内の団地の「母親たち」の性質の理由を明らかにすることができる可能性がある。「団地」については、別の項でも触れたが、ここでは、違うアプローチ方法で調査してみよう。

ある言葉の持つ歴史的背景を調べるのには、『日本国語大事典』が便利だが、具体的なモノやコトの場合は、『日本大百科全書』などの事典類も便利だ。また、その調査項目が社会学という学問領域にあると分かれば、『社会学事典』のような書籍にあたることが出来るし、場合によっては『集合住宅建築史』のような専門書の存在に辿り着くことも出来るかもしれない。以下は、『日本大百科全書』からの引用である。

> 団地を象徴する中層耐火構造の集合住宅が都市圏域に大量に建設されるようになったのは、第二次世界大戦後の各自治体による公営住宅からである。（中略）公営住宅の立地が建設主体の行政区域に限られていたのに対して、広域的な需要にこたえて、本格的な団地建設を進めたのは、一九九五年発足の日本住宅公団である。
>
> 一般的に団地居住者は、家庭と職場を中心とした関心が強く、合理的な日常生活を追求する志向が強い。家族そろってだんらんする生活様式や電気製品の導入による近代化は、団地の居住者に定着し、社会的に普及した。住宅地への関心は高いとはいえないが、相互に参加して楽しむ近隣関係が形成されている。

これらの記述から、「日本住宅公団」が団地づくりを始めてから三〇年程度、つまり一九八五年前後が本テクストの舞台であることが予想される。これはテクストの初出が一九九二年であることとも合致する。また、「住宅地への関心」というより、「家庭と職場を中心とした関心が強く」、「相互に参加して楽しむ近隣関係が形成」される団地、という特徴は、噂好きなテクストのキャラクター像に合致するとともに、子供たちからの断片的な情報によって噂が広がっていくという設定を自然にしている。

加えて、照井啓太『日本懐かし団地大全』（辰巳出版）では、当時の団地の写真や団地の歴史についてまとめられていることに加え、「団地あるある」という章があり、当時の団地のエピソードがまとめられている。また東京都八王子市に〈UR都市機構集合住宅歴史館〉という施設があり、ここでは移設復元された昭和三〇年代の団地を見学することができる。①

北村みつこは〈キタムラ塾〉という名前の塾を経営しており、団地の子供たちにとって「とにかく子供が行きたがる」場所になっている。このテクスト内時間である一九八五年前後において、**学習塾**とはどのような場所であったのだろうか。

学習塾の歴史については、『学習塾からみた日本の教育―NIRA研究報告書』（総合研究開発機構）が詳しくまとめている。また、笹山正信「学習塾の原点を見つめ直す―学習塾の存在意義とは」『教育科学論集』（第16号、神戸大学発達科学部教育科学論講座）にも簡単にではあるがまとめられている。また、岩瀬令以子「現代日本における塾の展開―塾をめぐる社会的意味の変遷過程」『東京大学大学院教育学研究科紀要』（第46巻、二〇〇七年三月）では、一九六〇年代以降の社会において学習塾という存在がどのように捉えられていたか、マスメディアの言説を追いながら明らかにしている。⑥

笹山の論文には、以下のような記述がある。

一九八〇年代から一九九〇年初頭までのバブルのころが第三次学習塾ブームの時期である。塾の事業所数は一九八〇年代を通して一挙に二倍近くに増えた。（中略）第三次学習塾ブームの先頭に躍り出たのは、学校関係者から目の敵にされている進学塾であった。小学生の子どもが一日何時間も勉強させられる、能力別クラスでテストの結果が発表される、夜遅くまで子どもたちが駅の近くをぶらついている、といった報道をよくされるようになったのが一九八〇年代である。塾が一番過熱していた時代といってもよい。何が過熱していたかといえば、首都圏や大都市の私立中学受験である。塾といえば進学塾、それも私立中学受験のための進学塾が世間の注目を集めたのである。

この記述は「嫌な塾に無理に行かされた子供が塾へ行くと言って実はゲームセンターで時間を過ごしていたなどという話がよく耳に入る時代」というテクスト中の記述と合致するところであり、「とにかく子供が行きたがる」ことから安心して子供を通わせる団地の母親たちの心情とも合致する。だが、みつこが〈犬婿入り〉の民話の話をしていること、小学校低学年から中学生まで幅広い年齢層の生徒が通っていたこと等を考えると、同時代的な塾の様相からはだいぶかけ離れた、〈キタムラ塾〉の特異性が浮かび上がってくるだろう。それはこの塾が新興住宅のある「北区」ではなく、縄文時代以来の伝統がある「南区」という場にあることと多分に関係があろうと考えられる。

小山田浩子「工場」

「工場」（六章）では、登場人物や町のあらゆるモノが工場との関連で語られる非常に広大な閉鎖空間が描かれる。

大人になってみると、工場というのは莫大で広大で、この土地に生活している以上その影響を絶えず受けていて、それゆえに無視せざるをえない存在であった。昔からこの町に住んでいる者なら一族の中に工場の関係者や工場の子会社の関係者、取引先に勤めている者が必ずいた。工場や子会社のロゴマークをつけた営業車が町を走りまわり、教育熱心な親は子供に工場で働くことの素晴らしさを言ってきかせた。

作家論的な言説から、作品の源泉が、作者の大手自動車メーカーでの派遣経験であったことが分かる。作者の経歴をそのまま読み込むのであれば、広島県安芸郡府中町から広島市に広がる**マツダ本社工場**がテクストの舞台のモデルである。マツダは、大企業なので、本社工場の内部構造などについても、かなり細かい情報を得ることが出来る。たとえば、マツダの企業紹介のサイト（http://maz.daa.jp/main/10plant.html）を見れば、本作品の中に出てくる「橋」の存在。地区の存在。そして地区同士を分ける川の存在を確認することが出来るだろう。ちなみに、この「橋」について。マツダ本社工場には東洋大橋という建設当時は一企業が保有する橋としては世界最大だった橋が架かっている。①

さらに、マツダ本社工場敷地内には、「マツダミュージアム」と呼ばれる見学施設があり一般の人でも工場内に入れる機会がある。マツダ本社工場のような、一つの企業による工場が町を形成していることを「**企業城下町**」と呼ぶことが分かると、調査のキーワードが手に入る。②

「企業城下町　特徴」などで検索すると、たとえば、宇都宮千穂の「日本における企業城下町の研究の到達点と課題」（『資本と地域』二〇一〇年六月）といった論や、中野茂夫の『企業城下町の都市計画—野田・倉敷・日立の企業戦略』（筑波大学出版会）という著作の存在に辿り着くことが出来るだろう。また、宇都宮氏の論文から宮本憲一氏という都市問題を専門とする研究者の名前や、それが都市論という社会学の学問分野であることを知ることが出来る。

こうした調査からは、「企業城下町」という言葉が宮本憲一が企業と地域社会の関係を表すために造語したものであったことに加えて、その概念や成立条件などが分かる。

もちろん、これらの情報から物語の描写の詳細を理解することも可能だ。だが、問題は、本物にどの程度似ているかではなく、そこからどんな想像力を生み出したかにある。途轍もなく広大で、多くの人々が車に関わる仕事に就いていながらも、その作業は細分化されており、誰もその全貌を見渡せるような位置にはいない。だが、それぞれの個別の「労働」は、街全体の何かの機能を果たしており、結果的に街そのものが一つの多細胞生物であるかのように存続してゆく。そうした、不思議な全体と部分の関係こそが、このテクストの重要な部分なのだ。

テクスト内では牛山佳子、古笛、牛山兄の三人それぞれが、自身の労働に対して疑問や不安感を抱いていることが共通点として挙げられる。しかし冷静に考えてみれば、職が与えられ、その労働を全うし、給与を得て問題なく生きていけているという三人の状況は、決して悲観するようなものではないだろう。事実、給与の額や労働の厳しさといった、一般的に「ブラック」と呼ばれるような労働への不満という趣旨の記述は見受けられない。ではこの三人の不安は一体何が原因なのか。この根本的な疑問を探究するためにはどのような手順を踏む必要があるだろうか。

こういった疑問をより明確にするためには、まずは本文に立ち返り具体的な記述を探す必要がある。ここで最初に注目したいのが牛山兄である。彼が抱える労働への不安の一つは古笛、牛山佳子のそれとは違っている。

だが、いずれ、もっと景気がよくなれば、別の職を探したいところだ。恋人に、もっと今までの経験を活かせる場所があったら紹介して欲しいと頼もうかとも思ったが、それでは結局派遣ということになってしまう。当然、それは正社員の方がいいに決まっている。決まっているというか、それ以外考えられない。

彼はそもそもパソコン関係の専門職で正社員をしていたということもあり、三人の中で最も労働形態へのこだわりが強いことが引用部分から読み取れる。この労働形態に注目すると、作品内ではさらに後藤、逸見、カスミなどの存在によって、正社員と契約社員、派遣社員という対比が描かれていることが分かる。牛山兄の不安を読み取るには、彼がこだわる労働形態の種類について、そもそも**「派遣社員」「契約社員」**とはどのようなものなのか、その問題点は何なのかについて理解する必要がある。

まずはそれぞれネットを使って検索してみる。**用語について検索すると大抵の場合「Wikipedia」がトップに表示される。用語理解の手初めにはちょうど適しているだろう。**するとこの二つの社員を包括する言葉として「非正規雇用」が浮かび上がってくる。ここから参考文献の欄に注目する。ここでは水町勇一朗の論文が挙げられている。この著者について調べると、法学者であり特に労働法を専門にしていることが分かる。著書も複数あることが分かり、信頼度も高い。また**「CiNii」というネットからアクセスできる論文検索のデータベース**を参考にするのも良いだろう。ここで「非正規雇用」に関する論文を読むとや、出典に注目するだけでも、この用語がどんな学問領域に属しているかが分かり、より深い理解へと繫がる。先ほどの法学に限らず、経済学、社会学などの領域にも関わることがこれで分かってくる。たとえば、濱口桂一郎『新しい労働社会―雇用システムの再構築へ』（岩波書店）などは、現在の不合理な日本型雇用システムの本質に迫り、正規・非正規の区別をいかに築き直していくかについて論じられており、玄田有史『人間に格はない―石川経夫と２０００年代の労働市場』（ミネルヴァ書房）では、「格差」「無業」「非正規雇用」「長時間労働」に注目して日本における二〇〇〇年代からの労働問題についてその背景から知ることが出来る。②

また、このテクストにおいては、三人の視点人物の工場への契約形態が、一つの世界から「契約社員」「派遣社員」「正社員」とそれぞれ異なった視線を介して得られる別世界が描き出されている。

> 恋人が派遣登録会社に勤めていなければ、今頃は無職だったかもしれない。三十歳にして無職。三十歳、今年三十一歳になる予定にして派遣の男というのも寒いが、そして今までの人生が無に帰するような気分になるが、それでも無職よりはいい。当然である。無職は駄目だ。それでも派遣社員。

これらのキーワードを調査してみると、正規雇用／非正規雇用という雇用の関係から経済を見る視点が「労働経済学」と呼ばれることを知ることが出来る。「労働経済学」をキーワードとして入門書を探せば、『新版　労働経済学入門』（有斐閣）などが見出されるだろう。②

そもそも雇用形態は一般に「正社員」と、「派遣社員」「契約社員」「パート・アルバイト」などからなる「非正規社員」の二つに大別できるが、この「非正規」な雇用が社会の中で大きな位置を占めはじめ社会問題化してくるのは、意外と最近の出来事であり、特に顕在化してくるのは、二〇〇一年から始まる自民党小泉純一郎内閣からである。つまり、こうした労働形態の分化が社会で一般化していることが、このテクストのリアリティを生み出しているのだ。

小泉内閣の詳しい分析に関しては、『小泉政権―「パトスの首相」は何を変えたのか』（中央公論新社）などが挙げられる。③

小泉内閣は数々の従来からあった労働規制を緩和し「労働の市場化」を完成させた。小泉政権下では、最初のわずか三年で全就労者に占める非正規雇用の割合は二七・五％から四一・五％へと急増している。

つまり、会社が社員を終身雇用し、まるで家族のように定年まで面倒をみるということがあたりまえだった社会から、様々な労働形態が生み出され非正規という働き方がちょうど浸透してきた時期を背景としたテクストであることが分かる。だからこそ、牛山佳子の兄は派遣社員という自分の雇用形態に大きなコンプレックスを抱き、一つ前の時代ではあたりまえとされていた正社員になれていない自分に焦燥感を抱いているのだ。

牛山佳子に注目して読んでみると、彼女は大学卒業から五回会社を辞めており、「私は働きたくない」と明言しているように、三人の中で最も労働そのものとの不適応を示していると言っても過言ではない。また彼女の特性は、牛山兄の恋人が「話し方がなってない。」と語り、彼女自身も「まともに喋ることができないと自覚しているように、「自分と社会が、つながりあっていないような」気分を抱えていることにあると考えられる。「コミュニケーションが下手」という社会との関わりの問題がそのまま労働に反映されているのである。

しかし、牛山佳子は大学時代に**コミュニケーション学**を専攻していたと、面接の時に公言している。コミュニケーション学を専攻していた人間が、それが下手と言われる何とも皮肉な設定である。ただ、字が綺麗な人がボールペン字の講座をわざわざ学ばないように、コミュニケーション学も得意な人のために開かれたものではなかったのかもしれない。一方テクスト内で意味を特定できない言葉として、牛山佳子が所属する印刷課分室の飲み会の「コマーシャル」という名称がある。ここで酔った牛山佳子は周囲とのコミュニケーションがおぼつかなくなるが、この「コマーシャル」は「コミュニケーション」の誤用とも考えられる。③

このように牛山佳子をめぐる描写では、「コミュニケーション」がついて回ることが分かる。よって「コミュニケーション学」という学問領域の成立過程を調査することは、彼女が抱える鬱屈とした不安感の読解に役立つのではないだろうか。

寺本泰輔、深田成子、深田成子「大学教育におけるコミュニケーション学の構築に関する試み（一）」『比治山大学現代文化学部紀要』（三号・一九九七年三月）によると、一九九〇年代、大学においてコミュニケーション学への関心が高まっていく中で、当時の大学教育での在り方の分析と、企業アンケートによってその学問に期待が集まっていたことが明らかにされている。⑥

小山田浩子「穴」

たとえば、「穴」（七章）では、現代の新しい「郊外」、いわゆる都会とは離れた場所にありながらも、交通網の発達により通勤・通学は容易となり、経済的・文化的に生活する分には全く問題のない均質化した街が描かれているが、その文脈において**コンビニエンスストア**は重要な意味を持つ。ネットで、「田舎」「都会」「郊外」などをキーワードに調べてゆくと、こうした新しい郊外の在り方を歴史的、社会的に考えてゆく学問は**社会学**であり、そこから生まれた**都市論**という学問分野が存在することが分かる。②

こうした学問分野が分かると、まず身近な図書館に行き、**参考室あるいはレファレンスと呼ばれる場所があるので**、そこから社会学の事典類や、都市論の事典類を見てゆくことが出来るようになる。⑤

そして図書館に所蔵の書籍を検索してゆくわけだが、言うまでもなく図書館には、そこに所蔵している書籍しかない。そこで、大手書店（ジュンク堂書店や紀伊國屋書店等）がもっているホームページや、国立国会図書館や都道府県立図書館のホームページも参考になる。

一方で、〈新書マップ〉（http://shinshomap.info/）という便利なホームページがある。各社から豊富なラインナップがある新書は、比較的多くの読者を対象としているので、知らない分野の専門的内容を深めてゆくよい入り口になる。

都市論ならば隈研吾・清野由美『新・都市論　ＴＯＫＹＯ』（集英社　二〇〇八年一月）などを知ることが出来るし、「都市論」という言葉から若林幹夫などの著名な研究者の名を知ることも出来る。若林の『都市論を学ぶための12冊』（弘文堂）などは、都市論のレファレンス本（参考図書）として有効な一冊だ。⑤

「都市　郊外」と検索してゆくと、「郊外化」という語彙を得ることが出来る。この「郊外化」で検索すると、内閣府が作成した郊外化に関する資料やウェブ閲覧可能な論文などの他に、三浦展の名に辿り着くことが出来るだろう。その『ファスト風土化する日本—郊外化とその病理』（洋泉社）は重要な資料となる。③⑥

「ファスト風土化」とは三浦の造語であり、地方の郊外化の波によって日本の風景が均一化し地域の独自性が失われていくことを、その象徴であるファストフードに喩えている。「穴」にファストフード店は登場しないが、あさひが義母のおつかいで向かうコンビニエンスストアが印象的である。

コンビニの場所は知っているが、引っ越してから今まで行ったことはない。マルチクの方がより近いし、コンビニでなくては手に入らないものが欲しかったことはない。雑誌はもう買わない。コピーも取らない。

コンビニエンスストアにはあたりまえにコピー機やATMが設置され、購買目的以外でコンビニを利用する人も多い。あさひもその一人である。コンビニエンスストアの歴史については、各大手コンビニエンスストアのホームページに沿革が掲載されている。最も詳しい資料があったのはローソンで、ATMやコピー機の設置時期・収納代行サービス開始時期についても記載がある。コピー機やATMの設置が、郊外におけるコンビニにどんな役割を与えているのかなど文学的エピソードと結びつけやすい要素が沢山あるはずだ。

また、ローソンのホームページの項目を見ていくと、「ローソンの持続的価値創造」という、コンビニの価値がどのように作られていったのか、今後どんな役割を担っていきたいのかが表明されたページがあるのに気づく。このページでは、一九七五年から「町の便利屋」として、一九八九年からは「社会インフラ」として、そして二〇一九年からは地域に合わせて成長するコンビニの姿を知ることが出来る。ここで重要なのは「社会インフラ」という単語である。コピー機・ATMの設置が「社会インフラ」とどう関連するのかは、セブンイレブンのホームページに面白い記事がある。「コンビニ　インフラ」で検索すれば辿り着けるが、インフラのためのサービスと、なぜインフラ機能を担う必要があったのかという歴史的背景について書かれている。①

もともとはアメリカ発祥のコンビニチェーン業態だが、日本で独自の発展を遂げている。日本のコンビニについて検索すると、渡辺広明『日本からコンビニが消えたなら』（ベストセラーズ）を見つけることが出来る。渡辺広明は、コンビニエンスストアやその流通についての研究者であり、コンビニに関する著書としてもう一つ、『コンビニの傘はなぜ大きくなったのか―コンビニファンタジスタ 知れば話したくなる、あなたの知らないコンビニ活用術26』（good.book）がある。また、日本のコンビニがどのように根付き、コンビニ文化を発展させていったのかについて、加藤直美『コンビニと日本人　なぜこの国の「文化」となったのか』（祥伝社）も参考になるだろう。

同様に、**労働や結婚問題**も「穴」の中で頻発するテーマになっているが、こうした検索を進めてゆくと、ある特定のジャンルに強い出版社も分かってくる。たとえば、弘文堂などの存在を知ると、竹ノ下弘久『仕事と不平等の社会学』（現代社会学ライブラリー13）、小谷野敦『ムコシュウト問題　現代の結婚論』（弘文堂）などに辿り着くことが出来る。さらに、**社会学や都市論を近隣の図書館などで検索する際は、NDCの300番台（社会学は特に360番台）などという分類番号が分かると、調査する時間を大いに短縮させることが出来る。**②

青山七恵『ひとり日和』

この小説内において、母娘関係はうまくいっているとは言い難い。物語の冒頭部分から、知寿は母親から渡された地図に丁寧なメモ書きまで付されているのを見て以下のように思う。

なんだかんだ言ってもわたしが心配なのか、と鼻白んだ。
母親の愛情ってこんなふうだと思ったんだろうな、なんて、わたしは心の中で笑った。

従来「親子」関係という言葉に埋没しがちであった**母娘関係の問題**については、信田さよ子氏が多く著作を残している。『母が重くてたまらない―墓守娘の嘆き』（春秋社）は母娘関係に苦しむ人に対して書いたものであり、斎藤環『母と娘はなぜこじれるのか』（NHK出版）は五人の女性精神科医が母娘問題について語り合ったものである。後者の本では、表面上は娘を思いやり「よき母」のように見えるが、就職や結婚などの岐路で娘をコントロールしようとする母親の姿が論じられている。このような姿は、先に示したような知寿と母親の関係にもリンクするところがあるのではなかろうか。

中上健次「十九歳の地図」

「ぼく」や紺野、齊藤は「新聞奨学生」である。**新聞奨学生**について学ぶ時には、まず新聞奨学生の制度を各新聞社が運営する奨学会のホームページやパンフレットから調べると良い。朝日新聞や毎日新聞、読売新聞など、大手新聞社は現在でもそれぞれ奨学会を運営しており、制度の説明や入会案内を行っている。しかしこれらのサイトは勧誘する新聞社が提供するものであるため、マイナスの側面は見えにくい。**社会問題を扱う際には、双方向的な情報収集によって、情報の偏りを避けたい。**①

この部分を補う資料として、吉川春子が参議院に提出した「新聞販売労働者・新聞奨学生の労働に関する質問主意書」（平成九年二月）を参議院のサイトから見ることが出来る。また横山真『新聞奨学生 奪われる学生生活』（大月書店）は上記の質問主意書に見られるような過酷な実態を自身の体験をもとに描いている。これらの資料の描く過酷な環境は、テクスト中で「ぼく」や紺野、齊藤をとりまいている実状である。⑤

予備校生である「ぼく」や齊藤の会話からは、**世間にはびこる学歴社会的な価値観**を読み取ることが出来る。学歴社会・メトクラシー等をキーワードに検索すると、竹内洋の『教養主義の没落』（中央公論新社）・『立志・苦学・出世―受験生の社会史』（講談社）や刈谷剛彦『大衆教育社会のゆくえ』（中公新書）などの文献に辿り着き、教養主義とそれに伴うメリトクラシー（学歴社会）が広まったことを背景に、予備校文化が世間に広まっていることが示される。

ここで「ぼく」が予備校生であるという設定は本テクストにおいて重要であると推測出来る。第三館編集部の『ザ☆予備校　オモシロクなったヨビコーを解明する』は、予備校文化を考える時に重要な資料である。当時全国に広まった予備校の現実や人気講師の情報一覧まで、詳細に知ることが出来る。当時三大予備校の一つに挙げられる河合塾の社史『Kawaijuku ＋』（河合塾）は、予備校の諸問題を考える時に欠かせない。代々木ゼミナール・駿台予備校については、ホームページに歴史に関する記載や年表があったが、社史の形で出版されているのは現在河合塾のみである。④

「ぼく」はテクスト中で何度も公衆電話でいたずら電話をかける。本項では、特にテクスト中で使用される「**公衆電話**」について調べる時の調査方法を紹介する。テクストにこのような場面がある。

ぼくはジャンパアの左ポケットに入れていた煙草をとりだし、火をつけ、吸った。ぼくの顔がゆらめく炎にうかびあがり、炎が消えるといつもの青ざめたいやらしい顔に戻って電話ボックスの硝子にうつった。その硝子に額をくっつけて、ぼくは外をみた。そうだ、あしたは日曜日だ。なんとなく外はあったかくて、うれしそうだった。しかしながらここはちがう、このぼくはちがう。

物語では、電話ボックスに映る自己の姿が自己卑下に繋がるきっかけとして機能している。この電話ボックスがガラス張りであることは重要な設定だろう。まず情報通信の分野について調査する時は総務省のホームページから『情報通信白書』を参照すると良い。昭和四八年度以降すべての年の情報技術に関する政府の取り組みや動向が年ごとにまとめられている。公衆電話に関しては、平成二五年度版に設置台数の推移などの記載がある。また公衆電話・電話事業に深く関わる会社として日本電信電話社・NTTが挙げられる。NTTは、以前は日本電信電話公社という名で、国営企業だった。この会社の出版した文献や社史を辿ると電話に関しての基本的・公的な文献はさらうことができた。NTTグループの社史である日本電信電話社史編集委員会『NTTグループ社史1995〜2005』（NTT出版）や同社が運営する〈NTT技術資料館〉も利用すると良い。NTTが出版した単行本に、西林忠俊『日本人とてれふぉん—明治・大正・昭和の電話世相史』（NTT出版）があり、自動電話の時代からテレフォン・カードの時代にいたる電話機と電話ボックスの様々な種類や移り変わりを描いている。これらの資料から、テクストに何度も登場するガラス張りの電話は一九六九年から設置されはじめ、徐々に拡大して一九八四年にピークを迎えたことが分かる。初出の一九七六年にはこの物語を可能にする条件が整っていたと言える。④

また国会図書館のデジタルコレクションやインターネットで「公衆電話」や「いたずら電話」と検索し、電話表象のレベルで歴史を考えることも必要である。たとえば金丸清彦『公衆電話室ものがたり』（私家版・丸善出版サービスセンター）などの文献がある。電話番号などの個人情報が当時とてもゆるく管理されていたことや、電話が家庭と社会を繋ぐツールとして機能していたことがぼくのいたずら電話を可能にしており、このテクストにおいて押さえなくてはならない時代性である。⑥

藤原智美「運転士」

「運転士」（一一章）には電車運行に関するものなど数字の描写が数多く現れる。その中でも特に多いのが時間に関する描写だろう。

　　時刻は午前八時三十一分四十秒。

日本の**鉄道**はその**時間の正確さ**が話題に上ることも多く、この時間描写の多用にさほど違和感は抱かないかもしれない。だが、「鉄道　時間」と検索すると、日本では標準時に先駆けて鉄道運行のための〈鉄道時間〉が制定されていたことが分かる。鉄道と時間とは密接な関わりを持ち、それが「運転士」のテーマの一つにもなっている。

広大な範囲を移動可能にした鉄道と人々の生活をコントロールしてゆく時間とはどちらも近代の重要な要素であるだけに、近代文学では鉄道をテーマ（舞台）にしたテクストは多い。近代日本と鉄道の関係について、「鉄道　近代」と検索すれば、『鉄道がつくった日本の近代』（成山堂書店）、『近代日本の鉄道構想』（日本経済評論社）などの書籍を見つけられる。その他、鉄道が日本の近代化に与えた影響について書かれたネット記事も散見される。鉄道の文化については、宇田正『鉄道日本文化史考』（思文閣出版）がある。**〈新書マップ〉**では鉄道に関する書籍として原武史『思索の源泉としての鉄道』（講談社現代新書）も紹介されている。

続いて「時間　近代」を検索すると、書籍では西本郁子『時間意識の近代　「時は金なり」の社会史』

（法政大学出版局）、ネット記事では「都市の時間、農村の時間」として紹介されているものが見つかる。前者では近代時間意識に鉄道の発達がどのように関わっているか知ることができ、後者は腕時計に関する歴史にも触れられており、運転士が持つ懐中時計の役割を見つけるカギとなるだろう。

一〇月一四日は一八七二（明治五）年に日本最初の鉄道が新橋～横浜間を開通したことを記念して「鉄道の日」と定められている。新橋には「旧新橋停車所」があり、再現された当時の建物や、無料で利用できる鉄道歴史展示室がある。旧新橋停車所は東日本鉄道文化財団が運営する施設であるが、運営媒体を同じくするものに鉄道博物館・青梅鉄道公園・旧万世橋駅などがある。どれも当時の鉄道や車体などを見ることが出来る施設となっているが、特に鉄道博物館は車両・歴史・仕事・科学・未来の五つのエリアに分け、多彩な切り口で人と鉄道の豊かな物語を展開する博物館であり、当時の鉄道文化を五感で感じるだけでなく資料採集にも有効である。④

さらに、明治五年周辺の鉄道開業に関わった人物を調べると、井上勝の名前があがるだろう。鉄道の父とも呼ばれる彼の鉄道事業への貢献についてはネット上に様々の記事が存在するが、評伝として老川慶喜『井上勝　職掌は唯クロカネの道作に候』（ミネルヴァ書房）がある。また近年になって江上剛『クロカネの道　鉄道の父・井上勝』（ＰＨＰ研究所）も出版された。老川慶喜は鉄道の歴史についても著書があり、『日本鉄道史　昭和戦後・平成篇　国鉄の誕生からＪＲ７社体制へ』（中公新書）も参考になるだろう。井上勝の鉄道事業はその後原敬へ引き継がれる。原敬については「原敬事典」（http://harakeijiten.la.coocan.jp/index.html）というホームページが存在し、鉄道との関連だけでない詳細な原敬研究の成果を見ることが出来る。原敬著の論文や日記から得た記述も掲載されている。原敬と鉄道の関係に関してもネット上の参考になるページが見つかると思うが、鉄道と政治の関係について書かれた小牟田哲彦『鉄道と国家「我田引鉄」の近現代史』（講談社新書）や小川裕夫『ブラック鉄道史』（ぶんか社）などがある。

ここまで広い範囲の鉄道について調査してきたが、「運転士」のモチーフとなる地下鉄についても調べる必要があるだろう。地下鉄については、地下鉄を専門に扱った「地下鉄博物館」が東京都江戸川区・東京メトロ東西線葛西駅の高架下に存在する。実際に地下鉄で使用された車両が展示されている他、専門図書館も設置され、鉄道に関する情報を収集したり、東京の地下鉄道史や各路線の建設史などを参照したりすることが出来る。⑤

地下鉄がどのように生まれたのか、「地下鉄　誕生」で検索すれば中村建治『地下鉄誕生　早川徳治と五島慶太の攻防』（交通新聞社）を得ることが出来る。

また他の文学に現われる地下鉄という表象について、「地下鉄　文学」と前述の**CiNii**で検索すると茶木環「地下鉄文学を旅する　文学を背景に読み解く地下鉄」（『運輸と経済』七七巻（交通経済研究所、二〇一七年一〇月）という論文を見つけることも出来る。「運転士」における地下鉄の文学表象の特徴を見出すには、他の文学における同様の表象との比較が必須であるだけに、**調査する言葉を、国文研などの文学研究のデータベースで検索してみる**ことは、有効なのでぜひ試してみて欲しい。③

また、物語では**コピー機**が重要な意味をもつのだが、現在一般化しているコピー機にも、当然普及の歴史がある。そういったコピー機の歴史については、日本のコピー機メーカーでは、最も古い会社の一つである富士ゼロックスのホームページ（https://www.fujixerox.co.jp/company/technical/column/sixties.html）に簡単な記載があったり、大塚商会のホームページにも同様の記事（https://www.otsuka-shokai.co.jp/media/it-history/chapter002/copy-1.html）がある。また、日本画像学会の〈複写機遺産〉という名前のホームページ（http://www.isj-imaging.org/others/heritage.html）では、大手コピー機会社が販売していたコピー機について、内部のしくみや歴史などが詳細な写真付きで解説されている。④
これらを参考にすると、コピー機（複写機）はジアゾ式とＰＰＣ式の二タイプがあったことが分かる。

コピーマシンの内部から、（中略）ポタリポタリと粘り気のある液がたれている。
〈ピンク色の液だ！　あのなかに隠れているのだろうか〉

ジアゾ式複写機は別名青焼きとも呼ばれており、反応の中心となるジアゾ化合物がどのような色を持つのか（青なのか？　反応によって青になるのか？）も調査の対象にあがるだろう。さらにこのジアゾ化合物を検索すると出てくる類似物にアゾ化合物というものがあるが、これは赤やピンクの染色液として用いられている。加えてジアゾ化合物・アゾ化合物ともに芳香族に属していることが分かると、「彼女の匂い」を発しているこのピンク色の液体とコピー機が、新たな解釈への道標ともなり得るのではないだろうか。

長嶋有「猛スピードで母は」

小説内では慎が祖父母の家で「まんが日本昔ばなし」、「クイズダービー」、そして「ドリフ」を続けて見る場面がある。これらを調べると実在した**テレビ**番組であることが分かる。さらに、舞台となっている札幌における地方紙（地方で刊行されている新聞）を国会図書館等で調べれば、当時の番組表を確認することが出来る。また、同時代のテレビ情報誌なども有力な資料となるだろうし、伊予田康弘『テレビ史ハンドブック　改訂増補版』（自由国民社）といった年表と豊富な資料によって日本のテレビ史を読み解いているものもある。③

戦後の街頭放送から八〇年代のピークを迎える時まで、インターネット以前の戦後社会においてテレビは重要なメディアであった。各テレビ局がまとめる『ＴＢＳ50年史』（東京放送）などのテレビ局史、田村隆『１９５５〜１９８９ちょっとだけ狂気ＴＶの35年 昭和バラエティ番組の時代』（河出書房新社）などの番組ジャンルの研究なども重要な資料となるだろう。⑥

母が所有している車はホンダのシビックであるが、テクストの随所でワーゲンへの憧れが見受けられる。また「ワーゲンをみると幸福になるというジンクス」が子供の間で広がっていたようである。このようなワーゲンが当時どのような副次的な意味を発生させていたかを知ることができたら、物語の象徴的な結末部分についても新たな読みが可能になるかもしれない。

だが、こういう場合、武田隆『フォルクスワーゲン ビートル―三世代にわたる歴史と文化の継承』（三樹書房）などの「正史」よりは、もう少し別のアプローチが必要かもしれない。「スーパーカーブーム」真っ只中の当時の子供たちにとって、ワーゲンは日常で見かける率の高い「スーパーカー」であった。こうしたことが、「ワーゲン」に特別な「都市伝説」を発生させているのである。「都市伝説」や「噂」をめぐる研究は、社会学や民俗学の見地から盛んになされている。こうした研究の方が、当時の実感を反映していることも少なくない。③

M市からS市までの道のりでは、「蟹の直売店が軒を連ねる」との記述がある。物語の場所が北海道のM市とあることと水族館があることから、室蘭市として設定した場合、距離などの面からも該当するS市は実在しないが、白老町という町が浮かび上がる。実際に室蘭市から白老町までの道のりを〈Google map〉などで検索すると、店名に「かに」が入った店が立ち並んでいるようである。〈Google map〉の発展的機能である〈Google Earth〉では、現在の地域の様子がかなり克明に確認することが出来る。上空写真としての全体図、町の中から見える風景、こうした情報が読み方に大きなヒントを提供してくれるのだ。

作品内当時の住宅の様子を考えるヒントで、木造家屋と「ツーバイフォーの真新しい二階建てとが入り混じっている」との描写がある。あわせて慎と母は団地に住んでおり、シングルマザーの家庭で慎が「鍵っ子」であるという文化表象も読み取ると、住居と家庭の経済面などの相関は見過ごすことはできないだろう。ツーバイフォーの特徴などに関しては、篠沢健太、吉永健一『団地図解：地形・造成・ランドスケープ・住棟・間取りから読み解く設計思考』（学芸出版社）などの専門書から学ぶことになるが、これらの建築の歴史性についていては、東京大学社会科学研究所附属社会調査『総中流の始まり 団地と生活時間の戦後史』（青弓社）といった、社会学や歴史学的なアプローチが必要だろう。また、「集合住宅歴史館」などといった建築（表象）に関する資料館なども確認しておきたい。

テクスト後半では慎が抱えていた学校での人間関係へのぼんやりとした不安感が、いじめにあうという形で現実化する。そもそも「いじめ」とは学校の現場で「発見された」現象であり、現代では学校外でのＳＮＳを通したものが問題視されるように、その定義は時代の変遷とともに変更され続けている。時代ごとのいじめの特徴を把握することで、より慎が置かれていた家庭、学校での状況や心理描写への理解が進むのではないだろうか。③

森田洋司『いじめとは何か 教室の問題、社会の問題』（中央公論新社）では、一九八〇年代にいじめが「発見」されて以来繰り返されるいじめの悲劇について、その定義から考察し、国際比較を行うことで日本の特徴を明らかにしており、森田朗『いじめの構造』（新潮社）では「いじめの根絶は不可能」という現実を踏まえた上で、いじめのメカニズムを明らかにし、具体的にどう対処すればよいのかを提示している。これらの書籍は、具体的な社会問題に対する対応を論じているものではあるが、その背景の分析は、当然ながら同時代の文学表象と重なってくる点も少なくないわけだ。⑥

テクストでは、須藤くんと母が前にそれぞれ進むための道具として「スパイク」という言葉が象徴的に使われている。サッカーシューズの「スパイク」は今でも通じる言葉だが、「スタッドレスタイヤ」が一般的になった現在「スパイクタイヤ」はあまりなじみ深い言葉であるとは言い難いだろう。

タイヤをめぐる資料としては、有力会社の社史などの他に、〈ゴムとタイヤの企業博物館〉というブリヂストンの企業博物館が有用だ。〈ガスの資料館〉、〈電気の資料館〉など**大手企業は、その主力商品の歴史的資料を収集する博物館を運営していることがあるので、調査の際は確認してもらいたい。**⑥

絲山秋子「沖で待っ」

なんといっても福岡はライバル会社の本拠地ですし、私は男尊女卑の九州男児にいじめられるのだ、と勝手に思い込んでいました。

「沖で待つ」（一三章）は、「わたし」が働く住宅機器メーカーの詳細な描写、また「敵の本拠地」として機能する「福岡」の位置が重要なテクストとなっている。「沖で待つ」の前提知識を踏まえるためには、**住宅機器メーカー**についての調査が必要になると考えられる。

主人公が勤める住宅機器メーカーの特定については、本文で「福岡はライバル会社の本拠地」という記述があることから、ライバル会社は福岡に本社がある「ＴＯＴＯ（東陶機器）」、主人公が勤めるのはＩＮＡＸ（作者の絲山自身がＩＮＡＸに勤めていた）だと分かる。会社の歴史やその業界の起こり・発展の様子を知るためには、各企業のホームページにある社史やそれらを編纂した書籍、記念館・ミュージアム等が参考になる。④

たとえばINAXは社史についてインターネット検索すると『伊奈製陶株式会社　30年史』（伊奈製陶）がヒットする。こうした社史は大概の場合非売品であるが、多くは国立国会図書館で閲覧することが出来る。それぞれを参照することで、大企業TOTOに対してINAXがどのように差異化を諮っていたのか、またこの二つの企業が拮抗する状態が長く続いていたことなどを知ることが出来る。①

資料からは、福岡がもともと渇水に悩まされた土地であったことや、TOTOはそれに対応した節水型トイレを作り、それらがのちの標準型の原型となっていったことが分かる。物語の人々は、こうした地域に赴任させられたライバル会社という設定なのだ。

また本テクストでは、「私」が太っちゃんのHDDを破壊する場面が重要になってくる。この場面の背景を理解するためには、**HDD（記憶媒体）**の変遷を追うことが必要になってくるだろう。

記憶媒体の変化については、インターネット上に〈コンピュータ博物館〉というバーチャル博物館（情報処理学会歴史特別委員会が運営）があり、このサイトでも充分に情報を得ることが出来るが、より詳しい情報や歴史の概観を捉えるためには、やはり書籍を参照する必要がある。

あまり詳しくない領域の入門書（専門書）を探す際には〈国立国会図書館サーチ〉が有効である。たとえば今回の場合「記憶媒体　コンピュータ」と検索すると、書籍がヒットする他に、始めに**〈レファレンス協同データベース〉**という、適した文献を探すための方法を紹介している頁が出てくる。さらにここでは調べ方の他にも、具体的な書籍の紹介として『情報処理ハンドブック』（オーム社）『光メモリの基礎知識』（オプトロニクス社）『記録・記憶技術ハンドブック』（丸善）の三冊が挙げられている。効率的に書籍を知ることができるため、もし調べた際に〈レファレンス協同データベース〉が出てきた場合には参照してみるとよいだろう。

また、〈国立国会図書館サーチ〉では目次を見ることが出来る。たとえば『情報機器マーケティング調査総覧』（富士キメラ総研）では、「目次Ⅱ「外部記憶媒体」」といった記述を確認することができ、書籍の内容を目次から効率的に知ることができるため便利である。

これらの外部記憶媒体の変遷を見ると、当時ＨＤＤが主力な記憶媒体装置として用いられていたことが分かる。また、こうした大量記憶が可能になったディスクが本体に内蔵出来るようになったからこそ、ディスクなどの外部記憶装置に頼らず、必要な情報がほぼそこに集中してしまうようになったのだとも言える。それを解体し、壊すことが、「秘密」の破壊の意味をさらに大きなものにしていること、テクストの主題が「記憶」「記録」であることへと繋がっていくだろう。

同時代的なＨＤＤの位置の他に、ＨＤＤの具体的な見た目や仕様について調べる場合には雑誌などが参考になる。「パソコン」「雑誌」などと直接インターネット検索する他にも、国立国会図書館サーチの結果を「雑誌」で絞り込みをして探すことも出来る。インターネット検索では廃刊になっている雑誌を調べることは難しいので、テクストの初出やテクスト内時間を踏まえて調べる媒体を選択すると良いだろう。先ほど挙げた〈レファレンス協同データベース〉では、既に廃刊になっている『月刊アスキー』という雑誌が紹介されており、同時代性・専門性ともに兼ねそろえた雑誌として参考になるのではないかと考えられる。


「あー、なんもわかってねえな。ＨＤＤっていうのはね、パソコンの中の弁当箱みたいなパッケージにディスクが入ってるの」

ＨＤＤの見た目は銀色で四角く、アルミ・ステンレスの弁当箱に似ている。中には、テクストで「私」が語ったように銀色のディスクが入っており、まさに「記録」を詰める「箱」という見た目をしている。ＨＤＤを弁当箱に喩えるこの比喩は、食べることが好きな太っちゃんらしい自然な比喩である。

ＨＤＤの見た目を把握することは、一見本文の読解には関係がないようにも思われてしまうが、比喩の意味や重層性を理解するためには不可欠な準備だと言えるだろう。調べものをすることで、「弁当箱」という比喩が太っちゃんとＨＤＤの強い連関を示していることが理解される。太っちゃんの肉体は既に現実にはなく、「弁当箱」は太っちゃんの記憶を閉じ込める「棺桶」となっていくのである。

楊逸「ワンちゃん」

ワンちゃんが一八歳になった息子と再会した際、「ＣＤプレイヤー」を渡そうとするも、一蹴される場面がある。

店を出て、手に持っていたカバンに息子へのプレゼントが入っているのにふっと気づいた。

「これ、日本で買ったＣＤプレイヤーだけど……」

「ＣＤプレイヤー？　母さんって時代遅れだね。今時iPodだよiPod。それ、母さんが漫才のＣＤでも買って、日本に持って帰って聞けば良いさ。今度帰ってくるときは何でも最新型を買ってきてくれよなぁ」

この時の息子の反応から、少なくとも中国ではCDプレイヤーからiPodへと音楽を聴くメディアの移動が起こっていることが分かる。では、これは果たしていつ頃の話なのだろうか。これを考えることで、はっきりとは書かれていないテクスト内の時間設定を明らかにすることができるかもしれない。

アップル製品については、「.i」ではじまるアップル製品に関する情報をまとめた〈.iをありがとう〉という個人のサイトが存在しており、このうち「資料集」という項にアップル製品の機種情報・歴史・年表などが詳細にまとめられている（https://arigato-ipod.com/collection.html）。iPodについてもここに詳しい言及があり、これによれば、「iPod」という製品が日本で初めて発売されたのは、二〇〇一年一一月一七日のようだ。しかし、その後繰り返し世代更新をしながら長い期間売り続けられているため、これだけでは時間の特定が難しい。①

そこで、「見かけなくなったのはいつから？　青春の思い出「ＭＤ」を振り返る。」（https://hitome.bo/column/article/930-hitomebo-md.html）というサイトを見ると、１９９２年に発売されたＭＤについて、デジタルグッズライターの山下達也氏が解説している。これによれば、「当時、中高生の間では録音・編集ができるカセットテープ派とＣＤプレーヤーでそのまま聴くＣＤ派で人気を二分していました。そんななか、両方の利点を兼ね備え、さらに音質も向上したＭＤは衝撃的だった」「五～七万円台と発売当初はちょっと高めの価格設定だったプレーヤーも、二〇〇〇年頃には三～四万円台のものが展開されたことで、さらにユーザーが拡大」「一大ブーム」といった記述が見られる。その上で、「ＭＤ全盛の二〇〇〇年、ひっそりとiPodが登場します。当初はマックのみの対応だったiPodに注目する人はあまりいませんでした」が「二〇〇三年にiPodがウィンドウズ対応してから徐々に人気を奪われていきましたが、パソコンを持たない人はＭＤを支持。この頃はまだＭＤユーザーはたくさんいました。本格的に下火になったのはパソコンが普及してきた二〇〇五年頃。iPodの価格も下がったこともあり、完全にユーザーが移行してしまった」という記述がある。これらの事情を勘案すると、iPodが登場した二〇〇一年頃はまだ日本ではほとんど注目されておらず、そこまで最先端とは言い難かったようである。おそらく、二〇〇三年以降と判断してよいのではないだろうか。テクストの初出が二〇〇七年一二月であることを踏まえれば、テクスト内時間は比較的狭い範囲に限定できると言えよう。

また、既にiPodが流行っているにも拘らず、MDでもなくさらに一つ前のCDプレイヤーを渡すワンちゃんの行動は、確かに「時代遅れ」と言われても仕方のない側面があると言える。⑥

ワンちゃんが従事している職業は日中間の「国際結婚の仲介人」である。彼女はこの「商売」を行っている一方で、自分自身も元々この「商売」によって日本にやってきた人物である。彼女の置かれている現在の状況や、国際結婚の実際的な状況を理解するためには、国際結婚に関する資料を適宜調べる必要がある。

日中の国際結婚については、王寧霞「日中国際結婚に関する研究」『鹿児島大学医学雑誌』（第56巻第3・4号、二〇〇五年二月）に、日中国際結婚をした中国人への生活の満足度調査があり、嫁ぎ先が都市部か農村部かで満足度に差があることを明らかにしている。郝洪芳「業者婚をした中国女性の主体性と葛藤」『いま構築されるアジアのジェンダー：人間再生産のグローバルな再編成』（第36集人間文化研究機構国際日本文化研究センター、二〇一〇年三月）、郝洪芳「日中国際結婚に関する一考察—業者婚する中国女性の結婚動機を中心に」『京都社会学年報』（第18号、二〇一〇年一二月）は、国際結婚の中でも業者婚、すなわち「ワンちゃん」で描かれたようなお見合い結婚にフォーカスした研究である。張玥「日本の都市部に嫁いだ中国人女性の結婚の動機—時代による変化の視点から」『北海道大学大学院教育学研究院紀要』（第135号、二〇一九年一二月）は、タイトルにもあるように日本の都市部に嫁いだ中国人女性に注目した研究である。賽漢卓娜『国際移動時代の国際結婚—日本の農村に嫁いだ中国人女性』（勁草書房）では、国際結婚に関する先行研究をまとめた上で、日中双方において参与観察・インタビュー調査を行っている。

郝洪芳「日中国際結婚に関する一考察—業者婚する中国女性の結婚動機を中心に」を見てみると、まず業者婚の成立経緯として三パターンにまとめられており、「タイプ1〈訪中2回〉：日本人男性が日本の結婚紹介所で、中国人女性の結婚候補者（複数）を写真で選択した後、中国にお見合いに行く。お見合いを通して日本人男性が一人の中国人女性を選び、選ばれた女性も結婚に同意すれば婚約に至る。日本人男性はいったん日本に帰り、挙式のため再度訪中する。」というものが「ワンちゃん」の設定と近い。

また、中国人女性が業者婚に至る要因として、「経済的要因」、「親密関係的要因」、「主体的要因」の三つを提示しているが、近年見られるようになったという「主体的要因」以外の二つは「ワンちゃん」に出てくる中国人女性にそれぞれ一致するところである。⑥

松浦寿輝「花腐し」

本テクストの舞台は東京のコリアンタウン、新大久保である。舞台について、視点人物の栩谷は以下のような言及をしている。

今の東京が川のない町になってしまったことが栩谷の長らくの不満の種だった。ロンドンにもパリにもソウルにもバンコックにも美しい川が流れているのに、新宿や渋谷の繁華街を歩いていてそのままふと足を伸ばすと滔々と流れる水くりに出るといったことができないのは何とさみしいことだろう。実際、かつての江戸は、あるいは少なくとも明治の東京は、アムステルダムのように運河が四通八達した美しい水の都市だったと言うではないか。

ここで問題にされる新大久保の地形の特徴については、皆川典久『凹凸を楽しむ　東京「スリバチ」地形散歩』（洋泉社）の中で言及がある。また新大久保・新宿などの**土地表象に関して学ぶときは、新宿区の地域史『新宿区史：区成立五〇周年記念』（第一巻・第二巻・資料編）を最初に参照すると良い。**この資料を用いる際は、新宿区立図書館のホームページに索引データベースがあるため、活用すると便利だ。また新宿区四谷にある〈新宿歴史博物館〉も新宿の歴史を考える上では重要である。④

このように新宿区について地形の問題を発端に調べると、新宿にある「窪」・以前は河川であったという新大久保の地名の由来が分かってくる。これは先に引用した部分の描写と繋がる。雨や水など、濡れることに関連した世界観が構築されるこのテクストにおいて、以前は河川だった新大久保が舞台となっていることは重要な設定である。

しかし、栩谷を呆気に取らせたのはその全裸の少女ではなく、ベッドを縦に挟む形で置かれた二つのラックに、熱帯魚を飼うのに使いそうなガラスのケースが天井まで積み上げられ、そのことごとくが上部に取り付けられた薄気味悪い紫色の蛍光灯に照らされてほんのり光っていることだった。

伊関の部屋にあるこのガラスケースで育てられているのは、毒キノコである。それを食べたアスカが幻覚を見ている描写がテクスト中には見られ、これがマジックマッシュルームと言われる薬物の一種であることが分かる。「マジックマッシュルーム」「毒きのこ」などと検索すると、専門的な書籍がいくつか見つかる。たとえば、長沢栄史『日本の毒きのこ』（学習研究社）、白松賢「マジックマッシュルームとは何か―公共の言説とせめぎあう使用者の経験」（『教育社会学研究』74号、日本社会教育）などを読むと、マジックマッシュルームが「合法的」な幻覚剤として注目され、多くのカウンターカルチャーの雑誌で特集されていたこと、栽培や食用自体は違法ではなく、「鑑賞用」とすることで食品衛生法の適用を逃れていたことなどが分かり、本テクストの描写は、同時代的に見てかなりの説得力を持っていたことが分かる。


「ふふん。インターネット通販っていうやつだよ。ネット上になかなか辿り着けない、しかしわかるやつにはわかるといったような広告のサイトを開いておいてね」

「金の亡者かい」

「あんまりはっきりとは書かずに、グラム何千円ってね。足がつかないように定期的にサイトを潰しちゃあ、別のアドレスに移っていく」

「足がつかないようにって、だって法には触れないんだってさっき言ってたじゃないか」

「あれ食べること自体は何の犯罪でもないんだが、売るのはね……。俺は食品販売の免許持ってないしなあ」


この引用部は、先に述べたマジックマッシュルームのグレーゾーン的な感覚をリアルに示している。加えて重要なのがマジックマッシュルームを**インターネット通販**で手に入れたと伊関が述べていることである。ここから初出の二〇〇〇年前後のインターネット通信の状況を調べていく。総務省HPから〈情報通信白書〉を参照すると、二〇〇〇年のインターネット普及率は34%で、一年前と比べて急速に増加しているものの、89%の現在と比べるとまだ少ない。一九九五年にウィンドウズ95が発売されて以来、インターネットの普及は急速に進み、初出から五年後の二〇〇五年には、普及率が既に七〇%を越えている。インターネットの普及に関しては、歴史や普及率の推移をインターネットや国会図書館デジタルコレクションで検索して見つけることが出来る。

調べる中で、インターネットの普及によって衰退したパソコン通信という文化があることが分かる。九〇年代に普及していたこのパソコン通信について追加で調べると、学習研究社から『ネットピア』、アスキーから『Net Works』等の専門誌が出版されたり、別冊宝島で取り上げられたり、コンピューターができる一部の人々に向けて開かれたオタク文化として当時機能していたことが分かる。当時まだインターネットのように誰もが利用できる「表」の文化ではなく、パソコン通信に代表される限られた人々しか利用できない「裏」の文化であったことが、脱法ドラッグ流通の前提になっている。ウィンドウズ95が発売された一九九五年からの十年間は、限られた人々しか使えない「裏」の文化だったパソコン通信からSNSなど誰でも使える「表」の文化への過渡期であった。本テクストはこの非常に限定された期間の出来事を描いていることになる。

バブル崩壊に関しては多くの書籍があるが、蔭山克秀『本当はよくわかっていない人の二時間で読む教養入門 やりなおす経済史』(ダイヤモンド社)は、バブル崩壊をはじめとして最低限の教養としての歴史をストーリーで学ぶことが出来る。代々木ゼミナールの講師である著者による講義で、面白く歴史を学び直し、疑問を解決することが出来るため、問題の大枠を摑むために有効である。バブル崩壊後の社会に関して、テクスト内の描写を確認する。

そう言えば二人ともべろべろに酔っ払った晩に、もののはずみのように初めて祥子と抱き合ったのもこのあたりのホテルのどれかだった。この界隈もあの頃と比べるとすっかり様変わりして、酒落たプラスチック細工のような建物ばかりが立ち並び、ほんの布切れのような短いスカートの下からむっちりした太股を見せつけている、どうも日本人とは見えないアジア人の女性たちが何事か携帯電話で熱心にしゃべりながら通り過ぎてゆく。

テクストのこの部分が示すように、新宿の新大久保界隈は韓国のイメージがある。バブル崩壊以降のニューカマーが多く移住してきたことがこのイメージのはじまりだろう。「新大久保」「韓国」「バブル崩壊」などをキーワードに、国会図書館デジタルコレクションやインターネットで検索すると良い。たとえば、田嶋涼子「韓国系ニューカマーズからみた日本社会の諸問題」（『社会安全』63号、二〇〇七年一月）などはこの歴史の問題を分かりやすくまとめている。バブル崩壊によって現在のイメージを手に入れている地区であるため、このテクストの舞台（ゼロ年代に入る頃の新大久保）を考える時、バブル崩壊を背景として捉える必要がある。

巻末付録チェックシート

読み方を意識する

「素手」読みから「グローブ」読みまで

一、まずは「森」読み

□①漢字表記の問題
　□様々な読み方の可能性
　□他の同意の漢字からの選択の意味
　□なぜその漢字を当てたか（漢字の解意）
□②設定の問題（後で意味があるかないか）
　□時代（その設定による縛りとは…）
　□時間
　□場所（どこまで地図（絵）になるか）
□③タイトルの問題（文中で意味付けされるか）
□④人物の設定（どういった人物として設定されているのか→その設定の意味は）
□⑤風景描写（後で意味を持つかどうか）
□⑥同じ言葉の反復
　□a　同じ意味だけど違う言葉
　□b　本当に同じ意味、同じ言葉
　□c　同じ言葉だけど違う意味

□「」のない直接話法
□誰の視線を通した間接話法か
□心内語の場所を丸で囲んでみる
□心内語なのか確定できない場所
□その語りの情報は信用出来るか
□語りと視点人物の距離感（否定・肯定・中立）
□視点人物と他の人物との距離感
□その語りのジェンダーは考慮すべきか
□⑫時間操作の問題
　□時間の並び替えられ方
　□前後で時間が切れている場所
　□どの時点から語られているか（語りの現在）
　□時間が確定出来ない箇所はどこか

二、構造読み（＝「空」読み）

定義＝テクストを全体から見てその構造を把握する。
□①キャラクターの関係
　ライバル関係・相同関係・対称関係……等々
□②タイトルの意味
　何かの象徴なのか・本文で確定出来るか
□③風景描写の意味

□⑦同じ状況の反復
　□反復の中の微妙な差異を無視してよいか？
□⑧指示語の確定（出来ない場合が重要）
□⑨文体の問題
　□ジェンダーを考えられるか
　□文の長短・語尾・語り方
□⑩意味の分からないフレーズ（段落）
　□（後で意味が分かるかどうか）
　　分からない場合　→　議論の材料へ
　　分かる場合　→　伏線として処理
□⑪基本的ナラトロジーの検討
　□視点人物（単数か複数か）
　　□a　ある人間の心情以外は直接語らない
　　□　他の人間の視点越しに語る
　　　（単数＝固定的視点）
　　□b　色々な人間の心情を語ってしまう
　　　（複数＝自由な視点）
　　□a　人物を外から見る視点（外的焦点化）
　　　Ex 太郎はおろかにも頷いてしまった。
　　□b　そういった視点はない（内的焦点化）
　□直接話法と間接話法
　□話者は確定出来るか（確定出来ない場所が重要）

　　物語で役割を持つか
□④AがBする物語 or AがBになる物語
　いくつ抽出出来るか。物語同士の関係は。

三、「素手」読みから「グローブ」読みへ

□①何かに批評性を持つ言説として読めるか
　□同時代の社会・文壇
　□現代社会の問題
□②作家論を導入するとどうなるか
　□（作家論で分かっちゃうこと。あるいは、分からないこと）
□③反映論（小文字の歴史としての価値）
□③先行論との差をいかに出すか
　□（自分の集めた論を読んでみる）
□④応用できる理論はあるか。
□⑤意味が確定出来ない場所はどこか
□⑥意味が二重（それ以上）にとれる場所はどこか

わ

は

ま

や

ら

た

な

さ

索引

あ

か

【著者紹介】

疋田雅昭（ひきた まさあき）

〈略歴〉1970年生まれ。立教大学大学院文学研究科博士課程後期課程修了。博士（文学）。長野県短期大学助教、准教授を経て、現在東京学芸大学教育学部准教授。

〈主な著書〉『接続する中也』（笠間書院、2007)、『トランス・モダン・リテラチャー――「移動」と「自己」をめぐる芥川賞作家の現代小説分析』（ひつじ書房、2021)、『スポーツする文学―1920-30年代の文化詩学』（共編著、青弓社、2009)、『コレクション・モダン都市文化80　出版メディア』（編著、ゆまに書房、2012)、『コレクション・戦後詩誌16–20 戦後詩の推進者』（編著、ゆまに書房、2019）ほか。

文学理論入門―論理と国語と文学と

Introduction to Literary Theory: Theory, Literature, and National Language Course

Hikita Masaaki

発行	2021年11月10日　初版1刷
	2023年 3 月24日　　2刷
定価	2200円＋税
著者	© 疋田雅昭
発行者	松本功
装丁者	大崎善治
印刷・製本所	亜細亜印刷株式会社
発行所	株式会社 ひつじ書房
	〒112-0011 東京都文京区千石 2-1-2　大和ビル2階
	Tel.03-5319-4916　Fax.03-5319-4917
	郵便振替 00120-8-142852
	toiawase@hituzi.co.jp　https://www.hituzi.co.jp/

ISBN978-4-8234-1104-5